L'UNE VOILÉE, L'AUTRE PAS

Dounia Bouzar
Saïda Kada

L'UNE VOILÉE, L'AUTRE PAS

Albin Michel

Albin Michel
▪ *Spiritualités* ▪

Ouvrage publié sous la direction
de Jean Mouttapa

22, rue Huyghens, 75014 Paris
www.albin-michel.fr
ISBN 2-226-13805-6

Avant-propos

de Dounia Bouzar

Fille de deux universitaires, un père d'origines algérienne, italienne et marocaine et une mère française d'origine corse, je n'ai pas toujours été musulmane. J'ai même fait partie de ceux qui accusaient l'islam de maltraiter les femmes. Mon « entrée » dans cette religion s'est faite de façon un peu particulière. Elle s'est produite après mon mariage — bref mais marquant — avec un Tunisien violent, qui argumentait chaque crise de violence par un « Chez nous, c'est comme ça... ». Mon entourage social me renvoyait la même idée : se marier avec un musulman, c'était d'emblée une « prise de risque ». Lors de mes appels au secours, la police me faisait comprendre que je l'avais bien cherché en choisissant un tel mari, et le juge de première instance avait conclu à un « conflit culturel » au sein du couple.

Par ailleurs, dans l'exercice de mes fonctions d'éducatrice à la Protection judiciaire de la jeunesse, je rencontrais dans les familles émigrées suivies des violences... Y en avait-il plus que dans les autres familles ? Difficile à dire, mais la particularité des premières, c'était que les pères et les maris liaient souvent la violence à une sorte de « droit divin »...

Mes premières hypothèses de travail ont donc tourné autour de l'idée que l'islam permettait, voire incitait, les hommes à user de la violence sur les femmes. Dans l'intention de le vérifier, j'ai entrepris une étude de cette religion, qui s'est avérée très différente de mes représentations de départ. À force d'étudier l'islam, je suis devenue musulmane.

Lorsque j'abordais la question des femmes, je découvrais des versets à partir desquels pouvait se construire une condition féminine parfaite et d'autres à partir desquels on pouvait aller dans le sens contraire. Après une comparaison avec les autres Livres saints, je constatai que l'islam avait plutôt été porteur d'idées progressistes. Mais la question du voile s'est dressée entre ma nouvelle religion et moi. Comment accepter de se cacher alors que la philosophie de l'islam vise à responsabiliser chacun et chacune ? Pourquoi renier sa beauté naturelle alors que l'esprit de l'islam amène chacun à intégrer au plus profond de soi les grands principes incontournables du respect de l'autre ?

Alors que j'avais tant à cœur de faire le lien entre les musulmans et les non-musulmans, le voile m'apparaissait comme un élément séparateur. Missionnée par mon institution sur un projet national qui consiste justement à recréer du lien entre les musulmans et les organismes publics, j'ai eu besoin de réfléchir sur cette question, d'autant plus importante à mes yeux qu'elle pouvait représenter une entrave aux relations des uns avec les autres, au sein de notre société.

L'idée de ce livre est venue ainsi, la rencontre avec Saïda Kada, tout à fait déterminante, a fait le reste. Sa volonté d'échange, sa capacité à mettre en mots les non-dits et à exposer ses idées, enfin son implication militante sur le terrain auprès des femmes ont fait d'elle une interlocutrice fiable et incontournable.

Un rapport authentique s'est noué entre nous, sans qu'à aucun moment la question de ses cheveux voilés et des miens dévoilés soit un obstacle. C'est parce que nous avons pu dépasser cette « question du foulard » que nous avons pu en parler à la fois franchement et sereinement, et aller bien au-delà... Car, pour parler de foulards, il nous fallait parler de femmes. Pour parler de femmes, il nous fallait parler d'hommes. Pour parler de femmes et d'hommes, il nous fallait parler de sociétés.

Au-delà de mon statut de citoyenne française d'origine italo-algéro-maroco-corse, mère de trois filles, fonctionnaire du ministère de la Justice *et* récemment de confession musulmane, j'ai tenté d'aborder ce sujet avec le moins de subjectivité possible, d'abord en tant que chercheuse. Il était primordial à mes yeux de placer le débat dans le champ de la réalité et non pas sur un plan théorique ou théologique, afin d'apporter le plus d'éléments de réponses possibles aux nombreux lecteurs qui s'interrogent.

Avant-propos

de Saïda Kada

Je suis née dans une famille musulmane. L'islam faisait partie des valeurs familiales que mes parents me transmettaient. Je me retrouvais dans ses grands principes, tant qu'on n'abordait pas la question féminine. L'image de la femme musulmane qui m'était renvoyée était aberrante et inacceptable. Espérer s'épanouir en restant dans l'islam paraissait impensable.

Lorsque j'ai commencé à étudier la philo, j'ai été passionnée par le cheminement qui conduit à l'élaboration d'une pensée. À force de me pencher sur celle des autres, j'ai été amenée à m'interroger sur ce qui fondait la mienne. C'est à ce moment-là que j'ai réalisé que je critiquais une religion à travers des comportements sans avoir jamais lu le Coran, qui me servait pourtant de support pour expliquer combien l'islam était sexiste. J'ai voulu en savoir plus, j'ai cherché des réponses, et c'est de l'intérieur que j'ai redécouvert l'islam.

À partir du moment où je me suis aperçue du décalage entre ce que vivaient les femmes et ce que j'avais découvert de cette religion, j'ai eu envie que cela se sache. Alors, parce qu'on ne doit pas se contenter de penser qu'une chose est juste mais qu'on doit la défendre, j'ai décidé de militer pour les femmes françaises *et* musulmanes.

C'est donc tout naturellement que FFME (Femmes françaises et musulmanes engagées) est née. À travers cette association, nous essayons depuis huit ans de réhabiliter l'image de la femme musulmane en participant aux grands débats qui animent la société. Nous avons évolué : à la base, nous étions l'Union des sœurs musulmanes de Lyon ; notre action consistait à aider et à défendre les filles voilées. Progressivement, nous nous sommes rendu compte que les problèmes ne se situaient pas sur le registre de la légalité mais sur celui des mentalités. Nous avons donc décidé de travailler sur notre déficit d'image, mais aussi de dénoncer les amalgames auxquels nous étions associées. Nous nous sommes donc redéfinies et avons vite réalisé qu'au-delà de notre appartenance à l'islam, nous étions aussi citoyennes, et que c'était en ces termes qu'il fallait nous positionner, d'où notre changement de dénomination.

Notre action s'est étendue. Il s'agissait d'amener les femmes à revoir leur approche de leur religion et d'elles-mêmes. Il fallait casser cette logique de silence, d'autodestruction, de déconsidération de soi-même... Nos cercles de réflexion ont dépassé la question du foulard pour aborder celle de la citoyenneté. Nous avons défini notre islam en dehors des cercles et des pressions culturelles qui nous infantilisaient. Nous avons pris la parole.

Il est primordial que toutes les femmes du monde — musulmanes ou pas, voilées ou pas — sachent que *rien* ne justifie leur enfermement dans une image construite sans elles. Rendre publiques mes positions et, à travers ces dernières, transmettre celles des femmes engagées avec moi depuis des années devenait vital. Cette démarche ne va pas de soi : d'autres citoyens nous reprochent notre attache musulmane et d'autres musulmans nous reprochent notre revendication citoyenne. Notre façon de nous définir heurte à la fois le stéréotype de la femme musulmane des pays musulmans et celle de la femme moderne occidentale.

Parce que Dounia Bouzar m'a montré qu'elle luttait contre toutes les logiques de séparation, il devenait possible de dépasser avec elle les clivages habituels construits sur des idées préconçues de part et d'autre. Son parcours personnel et son professionnalisme lui donnent la capacité d'écouter sans a-priori tout en argumentant sans complaisance, à la fois avec rigueur et humilité. Ce qui a importé n'a pas été de convaincre l'autre, mais de comprendre ce qu'elle avait à dire, dans un profond respect mutuel.

Pour une fois, nous n'avons pas parlé des foulards en oubliant celles qui les portent. Et nous n'avons pas non plus réduit celles qui les portent à leur foulard. Il s'agit bien de femmes, de condition féminine et, plus largement, de « condition humaine » dans ce livre. Peut-être que cela a été possible parce que, avant d'avoir été éducatrice à la Protection judiciaire de la jeunesse, avant d'entamer ses recherches, avant de devenir musulmane, Dounia est avant tout une femme qui a dû se battre pour construire sa vie de femme.

Introduction

Le foulard cristallise les passions parce qu'il symbolise l'islam aux yeux de nombreux musulmans comme aux yeux de nombreux non-musulmans. Certains sociologues[1] ont déjà montré que le port du foulard correspondait à des parcours différents dans le contexte français. Malgré tout, il continue de représenter, pour les acteurs civils et les institutions, le signe du refus de l'intégration, de la citoyenneté, voire de la démocratie et de toutes les valeurs qui la caractérisent : parité des hommes et des femmes, égalité, mixité, laïcité... Paradoxalement, celles qui le portent dénoncent l'esprit colonialiste qui sous-tend l'obstination de la société française à vouloir enfermer « leur » foulard dans des définitions et dans des objectifs dans lesquels elles ne se reconnaissent pas. Dialogue de sourds par excellence, où chacun campe sur ses positions de manière de plus en plus rigide.

On le sait, la liberté passe par l'accès au savoir, et la libération par la prise de parole. C'est pourquoi il était indispensable, en tant que femmes françaises et musulmanes, de nous faire entendre sur ce sujet. Il fallait que les mots sortent, que chacune dise, se dise et ne laisse pas l'autre parler à sa place et lui dire qu'elle n'a rien à dire... La liberté de pensée ne peut se développer sans liberté d'expression. L'évolution des opinions s'inscrit dans l'information et la confrontation.

Le foulard est désormais un phénomène français. Les jeunes filles qui le portent sont françaises, elles revendiquent et mettent en avant leur francité. La difficulté de ce livre a résidé dans la nécessité d'analyser le sens que le port du voile a au sein de l'espace français. Il ne s'agit pas de renvoyer ces Françaises à des histoires qui ne sont pas les leurs — c'est-à-dire à celles de leurs parents ou grands-parents. Parallèlement, on ne peut faire semblant d'ignorer ce qui se passe à l'étranger autour du voile.

Dans un véritable dialogue, chacun définit lui-même les termes du débat. Ce dernier ne peut s'engager qu'en laissant les protagonistes définir eux-mêmes le sens et le contenu de ce qu'ils revendiquent. C'est ce type d'échange que nous avons tenté d'instaurer ici, le plus honnêtement possible, à partir de nos expériences et de nos places respectives — chercheuse et militante de terrain —, en déconstruisant nos représentations. Il s'agissait de nous autoriser à poser des questions dans tous les espaces, à briser les silences qui empêchent d'ouvrir les débats de fond.

Dans un pays où l'émancipation des hommes et des femmes et l'évolution de la société n'ont été possibles qu'à partir de la séparation du religieux et de l'État, il n'est pas facile de comprendre un mode de revendications qui prend en compte une religion. Pourtant, condamner ce mode de pensée non seulement serait preuve de mépris pour toute démarche non conforme à la norme occidentale, mais conduirait à renforcer la résistance des uns et la domination des autres. Plus grave encore, ce serait conduire le groupe « accusé » à épuiser son énergie à se défendre au lieu de se construire.

Le vécu de musulmanes et de musulmans français constitue la matière première de cet ouvrage, qui n'aurait pu se faire sans la confiance que nous ont accordée celles et ceux qui ont témoigné. Engagé(e)s dans des associations diverses et variées, ils (elles) représentent un courant montant dans la société française. Des rencontres avec eux est né le besoin de retranscrire ce qu'ils nous confiaient et d'en débattre ensuite entre nous. Ce livre s'est construit autour de leurs histoires — chacune inaugurant un chapitre —, dont nous avons extrait la problématique essentielle, point de départ à notre discussion. Ils (elles) viennent d'univers professionnels très différents (emploi-jeune, psychologue, agent public, travailleur social, juriste, étudiant, ouvrier), sont né(e)s en France et se définissent, comme beaucoup d'autres, de culture française et de confession musulmane. Aucun d'entre eux ne plaide pour une multiculturalité. Nous sommes très loin des anciennes revendications pour le « respect des particularismes ». Malgré leurs différences d'âge, de statut social et de cheminement dans l'islam, ils ont en commun de réfléchir à la meilleure manière d'être à la fois français et musulmans.

On verra comment, au fil des pages, la question du foulard nous a conduites à une réflexion plus large sur la construction de l'identité féminine musulmane aujourd'hui au sein d'une société laïque moderne et, finalement dans la deuxième partie, sur celle de l'islam de France.

Ce livre est un dialogue entre une chercheuse et une militante de terrain, toutes deux femmes de confession musulmane, en désaccord sur les effets et les conséquences du port du voile, mais unies par leur désir d'intégrer la référence musulmane à côté des autres références, au sein de la société française.

I.

LE VOILE FRANÇAIS

Pourquoi le voile ?

J'ai mis de nombreux mois à me voiler. J'en ressentais un besoin profond, mais je connaissais les conséquences que ça allait avoir sur ma vie, à tous les niveaux. Ma mère a déjà amorcé une ascension sociale dans la famille. C'est une femme « en tailleur » : elle est secrétaire dans une grande compagnie d'assurances. Pour mon entourage, je continuais et j'accentuais cette ascension, car je suis la première à être allée aussi loin dans les études. J'allais à l'encontre de ceux qui pensent que les enfants d'émigrés ne peuvent réussir, y compris ces derniers eux-mêmes. Tous les discours des jeunes qui aiment à s'enfermer dans un statut de victimes ! Ils disent qu'en France, on ne nous laisse pas monter ! Comme ça, ils n'ont aucun effort à faire : c'est toujours la faute des autres, c'est plus facile... Ils ne se donnent aucun moyen de s'en sortir ! C'est vrai qu'il faut faire ses preuves plus que les autres quand on n'est pas « français de souche »... Mais si on veut, on peut !

Des années plus tard, j'ai incarné pour toute ma famille et mon entourage, qui me voyaient déjà avocate, l'image de responsabilité et de réussite. Leur confiance était telle que j'ai pu partir travailler aux États-Unis et en Australie. J'étais la « businesswoman »... Lorsque j'ai décidé de me voiler, je savais que cela allait entraîner une coupure avec cette image. Pourtant, j'étais toujours la même.

Je me suis retrouvée en situation de schizophrénie : d'un côté, je ressentais le besoin profond de me voiler, de l'autre je savais que le regard des gens allait se transformer. Lorsque je sortais la journée, je supportais de ne pas me voiler, mais lorsque je rentrais chez moi le soir, j'étais très mal parce que je me retrouvais face à moi-même. Il n'y avait plus que Dieu et moi. Et je savais que je ne correspondais pas à ce que Dieu attendait de moi. J'avais le sentiment de devoir choisir entre Dieu et les autres, Dieu et la société... Je me suis persuadée pendant des mois avant de trouver enfin la force de franchir le pas, sans doute par peur du regard des autres. Il m'a fallu plus de deux ans pour y arriver, mais une fois que c'est fait, on se sent bien... Le voile, ça bouleverse, ça change une vie, il faut être honnête là-dessus. C'est pour ça qu'on ne juge pas celles qui ne le portent pas. Il faut être préparé.

C'est vraiment son aspect obligatoire qui a fait que je me sentais mal vis-à-vis de Dieu. J'ai beaucoup réfléchi sur le caractère obligé du voile. Au début, on n'a pas envie que cela soit obligatoire. J'ai été convaincue que ça l'était lorsque j'ai réalisé que Dieu en a parlé à tous les Prophètes avant Mohamed (Paix et Salut sur Lui). À Moïse (PSL), à Jésus (PSL), il a été question du voile. C'est d'actualité pour les trois religions monothéistes. Le message est donc bien divin. S'il n'était pas obligatoire, beaucoup ne le porteraient pas, étant donné les conséquences que cela engendre lorsqu'on vit en France !*

Pour moi, il est important de communiquer un message le plus ouvert possible, c'est pourquoi je suis attentive à la façon

* Sabrina fait ici allusion au fait que l'on retrouve la prescription du voile dans la Torah et la Bible.

dont les autres peuvent me percevoir : avant de me voiler, je portais souvent du noir. Maintenant, j'aurais plutôt tendance à choisir des couleurs claires. J'ai le sentiment que pour beaucoup de gens, les voiles noirs font peur et leur rappellent ce qui se passe à l'étranger. Je sais que certains se disent : « On s'en fout de la peur des gens, on s'en fout des non-musulmans, ce sont des mécréants. La seule chose qui compte, c'est Dieu. »

Bien sûr que l'important c'est Dieu, mais l'un n'empêche pas l'autre. De mon point de vue, le but de l'islam n'est pas d'effrayer. Le Prophète (PSL), dans sa démarche, prenait garde de ne pas offenser ceux avec qui ils vivaient, y compris les non-musulmans. Un jour, je suis rentrée avec mon amie dans le local « Mains ouvertes », à côté de la gare de Lyon-Part-Dieu. C'est un endroit où l'on peut aller prier, quelle que soit sa religion. Il y a toujours une vieille dame qui tient la permanence. Lorsqu'elle nous a vues mon amie et moi, elle a ouvert les bras : « Oh là là, qu'est-ce que vous êtes jolies comme ça ! » Elle avait un sourire jusqu'aux oreilles, comme si on lui faisait un cadeau. Les couleurs comptent beaucoup. On vit avec les autres.

Si le noir fait peur, j'en tiens compte, même si je ne porte pas de jugement sur celles qui font un choix différent. Le but, c'est de vivre ma foi tout en rassurant les gens. Et j'espère que Dieu est content de cela. C'est une manière de faire da'wa* : *on rassure sur l'islam, avec notre sourire et nos couleurs. On explique, on déconstruit, on se fait aimer... On essaie de faire « accepter Dieu aux autres ».*

Maintenant, ma mère est malgré tout très fière de moi, je continue à construire ma vie, j'y arriverai, avec l'aide de Dieu.

Sabrina, 25 ans, étudiante en doctorat de droit.

---

* Expression employée ici pour signifier « faire aimer l'islam ».

DOUNIA BOUZAR : Ce premier témoignage de Sabrina — ainsi que ceux qui suivront — nous interroge sur plusieurs plans. J'aimerais que l'on commence par aborder le caractère d'« obligation » du foulard* qui est à la base du choix de quantité de jeunes filles pratiquantes. Presque tous les témoignages entendus et transmis dans cet ouvrage présentent le voile comme une obligation de l'islam. Celles qui ne le portent pas ne remettent pas pour autant son principe en cause : elles justifient leur choix par leur vie dans la société laïque. Je suis très surprise de cette uniformité de pensée alors que le débat sur l'obligation du voile est ouvert dans le monde musulman et ne date pas d'aujourd'hui, aucune réponse n'ayant permis de trancher définitivement la question [1].

L'auteur Fawzia Zouari [2] rappelle par exemple que la première contestation du voile remonte aux origines de l'islam. Elle a été exprimée par la nièce de l'imam Ali, gendre du Prophète (PSL) et quatrième calife. De même, l'auteur cite la petite-fille du premier calife de l'islam Abou Bakr, qui avait coutume de répondre : « Dieu m'a dotée d'une grande beauté et j'entends la montrer. » Depuis, ici et là, des musulmans discutent du caractère d'« obligation divine » du foulard. D'autres estiment qu'il est réinterprétable au regard de l'évolution des sociétés.

Sans entrer dans des explications théologiques, car cela n'est pas notre objet, il faut tout de même dire deux mots de ce débat. D'autant plus que le sentiment qui règne en France envers le foulard vient — en partie — du fait qu'on le rattache aux mouvements intégristes. Personnellement, bien que ne partageant pas la plupart des arguments des chercheurs, j'ai du mal à comprendre ceux des théologiens

---

* Nous emploierons indifféremment les termes « voile » ou « foulard ».

qui le présentent comme obligatoire, d'autant plus que les exégèses ont été élaborées uniquement par des hommes, issus d'une société arabe, ô combien phallocrate...

SAÏDA KADA : Certaines musulmanes comprennent le foulard comme une obligation divine, d'autres non. Celles qui choisissent de le porter le font pour Dieu, conformément au consensus des savants. L'obligation du voile relève exclusivement d'une réflexion d'ordre théologique au même titre que n'importe quel questionnement religieux. Quand l'Église est amenée à reconsidérer la validité d'un texte, personne n'a l'idée de s'en mêler. La question principale pour la société française n'est donc pas : « Le voile est-il obligatoire ou pas ? » mais : « Les musulmanes qui ressentent le besoin de se voiler peuvent-elles le faire librement ou pas ? »

À partir du moment où l'on veut comprendre la question du foulard, il faut la traiter dans son ensemble. Et ce n'est qu'après s'être imprégné de cet ensemble que l'on peut aller vers la particularité. Le problème autour de cet attribut réside justement dans le fait qu'on l'aborde comme quelque chose de spécifique. Or il n'y a pas le foulard d'un côté et le reste de l'autre. Le foulard appartient à un ensemble. Le témoignage de Sabrina a le mérite de souligner le lien entre le foulard et sa réalité de vie. Elle l'intègre dans une perception globale des choses. Son choix de le porter n'est pas un pur produit intellectuel. Sa relation à Dieu l'a amenée vers le foulard sans la couper du monde qui l'entoure. On est musulmane d'abord, on adhère à une philosophie de vie et, dans ce cadre, on veut porter le foulard. La découverte de l'islam est jalonnée d'étapes qui, successivement, façonnent ton identité, pour t'amener à trouver un équilibre en toi, en Dieu et avec les autres. Tu te construis en trois dimensions et tu ne trouves un équilibre et un bien-être qu'à partir du moment où tu réunis les trois. Sabrina l'exprime très bien : elle met beaucoup de soin à équilibrer ses relations avec son entourage. À aucun prix elle ne souhaite provoquer de distance, de rupture. Au contraire, c'est cette crainte qui la fait réfléchir et mûrir son choix. Elle ne veut pas privilégier un pôle aux dépens d'un autre.

Certains pays veulent entretenir l'idée que le foulard représente en lui-même toute une idéologie. Parce qu'il se voit, il devient un symbole. D'autres pays, condamnant les premiers, utilisent leur redéfinition du foulard pour légitimer leur refus. Tous oublient seulement celles qui se trouvent au milieu : les femmes ! Ces dernières voudraient juste pouvoir vivre leurs choix, sans se voir imposer une vérité, quelle qu'elle soit.

D.B. : Et les musulmanes qui ne ressentent pas le besoin de se voiler, peuvent-elles ne pas le faire ? Librement aussi ? Sont-elles néanmoins considérées comme des « vraies musulmanes ? » Ériger le foulard en preuve de foi est en soi dangereux, cela peut mener à uniformiser les moyens de se mettre en relation avec Dieu. Faire croire que, sans foulard, on n'a pas accès à Dieu.

S.K. : C'est à force de distinguer le foulard du reste qu'il est devenu une valeur en soi. Depuis quelques années, on sépare le foulard du reste du processus identitaire de la femme musulmane. À force de le montrer à la télé, à force de l'utiliser comme un symbole sur les premières pages de magazines, on en fait simplement un objet de connaissance visuelle, qui sépare ceux qui le portent des autres. Et des filles qui ont soif de reconnaissance vont se voiler, pour être reconnues par un groupe. Ce n'est plus forcément un état d'esprit. C'est vrai que certaines ne le portent plus de la même façon qu'avant : la connexion qui se fait entre le cœur, le corps et l'esprit est contrariée. Avant, quand on demandait aux filles : « Pourquoi tu portes le foulard ? », elles ne pouvaient pas répondre. Parce que cela avait été une maturation intérieure : elles l'avaient assimilé dans leur vie, comme la philosophie, la prière, la spiritualité... Porter le foulard, ça n'est pas seulement couvrir ses cheveux, cela traduit tout un état d'esprit. C'est un processus qui te prend les « tripes » et qui te pousse à continuer ton cheminement vers Dieu. Pour les filles, c'était aussi une partie de leur vie. C'étaient elles, à l'intérieur et à l'extérieur. C'était « les deux avec ». Donc il faut arrêter de vouloir comprendre le foulard sans le reste. Tu ne peux pas comprendre le foulard sans parler de tout le cheminement spirituel qui va avec. Ne pas perdre de vue que la jeune fille n'est pas dans une logique de « foulard ou pas foulard ». Elle se sent *avec*, dans un parcours progressif de foi, où elle découvre des choses fortes liées à la spiritualité. On doit faire la distinction entre ce que le discours médiatique nous renvoie et ce que les jeunes filles vivent au sein de cette trajectoire. Comprendre le foulard à travers le regard des médias, c'est nier tout le parcours intérieur des jeunes filles. On ne peut couper le foulard du reste de leur construction. Sinon on ne comprendra jamais. Aujourd'hui, le débat sur le foulard a justement brouillé ce processus. Lorsqu'on demande à certaines : « Pourquoi tu portes le foulard ? », certaines vont répondre : « Parce que je suis musulmane. »

D.B. : Il est incontestablement question d'identité dans le port du foulard. Votre génération remet en question la précédente ainsi que celle des parents, qui avaient plus ou moins été obligés d'accepter de mettre de côté leur référence religieuse pour prouver leur « bonne volonté ». Vous refusez cette notion d'intégration qui, dans la réalité, se décline en termes d'assimilation ! Vous revendiquez l'identité de « Français musulman » ou de « musulman français », sans avoir de choix à faire. Le tournant a été amorcé après l'échec des revendications des « mouvements beurs » des années 80. C'est à ce moment que certains ont décidé de rompre avec cette « obligation de discrétion », estimant qu'on leur reprocherait toujours leur origine, quels que soient les arguments invoqués. Et leurs nouvelles revendications se sont parfois faites sur un mode de surenchère...

Notre société française a certainement produit ce type de réaction, en ignorant pendant longtemps les demandes des musulmans et surtout en permettant les traitements discriminatoires sociaux et professionnels envers les jeunes de ces familles... Les conséquences de cette interaction sont encore très présentes. Cela devient une preuve de courage et de résistance de s'afficher comme musulman. La négation de l'autre le conduit à revendiquer sa spécificité, le danger étant d'ailleurs l'enfermement. À l'intérieur même de la communauté musulmane, le foulard prend sa place et son sens en fonction de cette interaction. Comment ne pas respecter celui ou celle qui défend l'islam, mettant en danger sa propre évolution personnelle ? Et le foulard devient — si je comprends bien — l'emblème de ce combat, en partie par le traitement médiatique qui en a été fait.

S.K. : Notre lutte pour pouvoir pratiquer l'islam en France est effectivement identitaire au sens où nous voulons ajouter notre religion au reste de ce qui constitue notre identité. Mais le foulard en lui-même n'était au départ qu'un élément de cette pratique. Or, à présent, le foulard est devenu l'islam. Il n'est pas étonnant alors de voir des femmes mettre le voile et croire qu'il suffit à faire d'elles des musulmanes. Viendra ensuite de manière sournoise l'idée que celles qui ne le portent pas ne sont pas « vraiment » musulmanes !

D.B. : Cette réflexion sur le fait que « le foulard est devenu l'islam » apporte des éléments d'explications sur certaines situations : plus on attaque l'islam, plus les femmes se voilent pour défendre l'islam ! Cela renforce la « présupposée supériorité » de la voilée sur la non-voilée... Lorsque je donnais mes premières conférences, j'étais souvent choquée de la réaction des jeunes filles, qui venaient me voir en me disant : « Ah, on est soulagées ! On croyait que vous alliez dire du mal de l'islam ! » Et une discussion s'engageait indubitablement sur mon refus de porter le voile. Lorsqu'elles apprenaient qu'il était basé sur des convictions profondes et non pas uniquement sur mon statut de fonctionnaire, je devenais un paradoxe à leurs yeux : défendre les valeurs de l'islam sans être voilée... De ma place, je ressentais toujours une sorte de jugement à mon égard, comme si elles étaient déçues, comme si mon « islamité » manquait de maturité, n'était pas complètement aboutie. Par ailleurs, lorsque en tant qu'éducatrice, j'intervenais dans les établissements scolaires, les enseignants me parlaient longuement de la « supériorité morale » dont certaines jeunes filles voilées se prévalaient pour juger et toiser les autres au sein même des classes.

S.K. : Les musulmanes voilées et non voilées sont perdues dans cette absence de sens. Les premières voudraient tellement être à la hauteur de ce qu'elles pensent être une

« consécration », qu'elles portent comme un fardeau le regard de l'autre, inquisiteur, qui cherche la faille... Les autres voudraient montrer ce qui ne se voit pas de manière aussi visible : leur attachement à Dieu. Chacune finit par reprocher à l'autre cette situation.

Réduite à un sexe ?

Je suis dans les nuages. Une voix suave annonce : « Nous commençons notre descente sur Téhéran, veuillez attacher votre ceinture et relever le dossier de votre siège. » Aussitôt les femmes ajustent leur voile. Elles effacent les dernières traces de leur maquillage. (...) Je sors le voile de mon sac, les doigts le tournent et le retournent. J'ai envie de le déchirer mais, comme les autres femmes, je le mets sur ma tête et le serre autour de mon cou. « Quelle folie de retourner en Iran », me murmure une voix intérieure. Mes traits se durcissent. Comme si par notre geste simultané, nous acceptions unanimement que notre corps ne soit qu'un objet sexuel, un objet dont le sort appartient à d'autres, je vis l'humiliation d'être femme. J'avale ma rage, mais je sens que ce voile autour de mon visage enserre, encercle mon existence. La transformation des femmes est suivie d'effet : voilà que les hommes aussi sont devenus iraniens. Une ébauche de sourire amusé sur leurs lèvres, ils tournent la tête de tous côtés et jettent des regards insistants sur leurs voisines maintenant voilées. J'ai envie d'arracher de ma tête ce voile qui affiche une sexualité coupable. J'avais presque oublié cette sensation. J'essaie de penser à autre chose... Mais une sorte d'étouffement retient chaque battement de mon cœur. Mon corps se transforme malgré moi. Comme s'il devenait cet objet malsain condamné à l'enfermement, ce mauvais objet que les hommes convoitent. Le vertige du péché charnel menace chaque seconde. Tout d'un coup, je retire mon bras de l'accoudoir et me blottis dans mon siège. Mon voisin, lui, se met à l'aise, étire ses jambes, se cambre en appuyant fortement les épaules contre le haut de son siège, écarte les cuisses et laisse tomber son corps avec un soupir. Il élargit son territoire.

Chahdortt Djavann, *Je viens d'ailleurs*, Paris, Littérature Autrement, 2002, p. 69.

D.B. : Ce témoignage est le seul de notre ouvrage qui ne provient pas d'une Française. Il mérite néanmoins de figurer dans notre débat dans la mesure où il exprime un sentiment partagé par de nombreuses femmes qui s'opposent farouchement au voile. Car on ne peut oublier que le port du foulard a été prescrit pour des raisons sexuelles : le verset commence par conseiller aux croyants et aux croyantes de ne pas se conduire de manière provocante en adoptant des conduites impudiques. Ensuite, il demande aux femmes d'occulter leur corps — et spécialement tout ce qui est séduisant — afin d'éviter la convoitise des hommes. La conception qu'il engendre entraîne la négation de toute séduction de la femme dans ses rapports avec les hommes. Il s'agit bien d'un message où la couverture des corps a pour objectif la régulation de la sexualité, des rapports entre les sexes et, plus globalement, de la vie collective en général. C'est d'ailleurs pour cette raison qu'une femme ménopausée n'y est plus astreinte !

Dans un deuxième temps, le pas a été vite franchi vers l'enfermement de la femme « à l'intérieur ». Le voile est devenu le morceau de tissu qui signe la soumission de la femme à « sa place », c'est-à-dire à la maison. Il s'agit ni plus ni moins d'une ségrégation des sexes qui passe par le contrôle et l'enfermement du corps féminin. Cela ne touche pas que le domaine professionnel. En Iran, les femmes ont été limitées dans la pratique du sport, n'ayant le choix qu'entre quelques disciplines qui ne s'exercent qu'individuellement et sans grands mouvements physiques... Tout cela pour rester dans la « pudeur islamique » et ne pas alimenter de mixité ! Alors que les femmes occupent progressivement des fonctions importantes dans le monde arabe depuis quelques décennies, le discours de certains milieux islamistes encourage en plus du voile le refoulement de la femme dans l'espace domestique, toujours en brandissant l'argument du refus de la mixité ! La pureté du système patrilinéaire a reposé et repose encore sur la virginité puis sur la fidélité de la femme, et cette discipline obsessionnelle imposée au corps féminin est symbolisée par le foulard. C'est en cela que la plupart des démocrates ne le supportent pas : « Ce n'est pas qu'un simple morceau de tissu, disent-ils. C'est le symbole qui stigmatise le corps de la femme en le cachant ; et ce corps est réduit à un objet qui attise la convoitise des hommes. À leur tour, ces derniers sont réduits au rang de violeurs potentiels ! »

S.K. : Il faut distinguer les raisons pour lesquelles le foulard a été prescrit et les utilisations qui en sont faites. Le foulard est arrivé *pour* les femmes et non pas *contre* elles. À l'époque de la Révélation, on en avait besoin, en termes de protection. Il ne faut pas oublier que la violence de toute nature était d'une banalité consternante, commis en toute impunité. On était dans une société où les petites filles étaient enterrées vivantes. Les femmes étaient tout sauf des êtres humains. Elles étaient héritées comme on hérite d'un chameau. L'islam révolutionnait cette vision et se présentait comme un nouveau système de valeurs, qui inscrivait leur égalité au sein de la société d'Arabie, en leur donnant une place et des droits. Mais en ce temps-là déjà, il y a des hommes qui n'avaient pas compris et ne voulaient pas comprendre ce message général d'égalité. Il fallait un signe pour qu'ils se mettent à respecter les femmes et arrêtent de les agresser. Il fallait que cela se voie, que cela s'impose. Le foulard s'imposait aux hommes. Au-delà de l'idée de protection, je crois qu'il renvoie à la volonté de rappel : rappelle-toi que la femme est un être comme toi ; rappelle-toi qu'elle est ton égale, elle mérite donc ton respect.

D.B. : Je fais exactement le raisonnement contraire : pour moi, mettre le foulard aujourd'hui, ici, c'est admettre qu'on ne sera jamais considérée comme égale, telle que Dieu l'a voulu. C'est baisser les bras... et entrer dans un processus où, en désespoir de cause, on se cache pour se protéger. Puisque nous ne pouvons être considérées, ne soyons pas agressées ! Les rares fois où il pourrait me venir à l'idée de me voiler, c'est lorsque je me sens en danger, dans le métro tard le soir, par exemple... En aucun cas, je ne peux imaginer que cela puisse fonctionner comme un « rappel » aux hommes de notre égalité ! D'ailleurs, à force de « rappeler aux hommes qu'elles sont leurs égales en portant le foulard », les femmes vivant dans des sociétés musulmanes devraient l'avoir à peu près obtenue... Cela n'a pas l'air très efficace. Les pays musulmans font partie de ceux dans lesquels les droits des femmes sont le plus bafoués, à tel point que beaucoup imaginent que c'est directement dû à l'application de l'islam. Si pour toi, au-delà de la fonction de protection personnelle, le port du foulard constitue un rappel à l'homme du statut d'égalité de la femme et non pas une renonciation à cette égalité, comment est-il perçu pour eux ? S'il est pour vous un rappel, une imposition à leur égard, ces derniers, de leur place, le reçoivent-ils comme tel ? Est-ce qu'ils l'entendent, ce rappel ? N'est-ce pas un dialogue de sourds ?

S.K. : C'est justement au nom de l'islam que l'on se doit de dénoncer ces injustices faites en son nom. D'autant plus que l'aspect positif du tapage médiatique sur les pays musulmans a justement été de bien montrer aux Françaises d'origine émigrée, qui connaissent finalement peu leur société d'origine, comment le foulard, comme beaucoup d'autres éléments de l'islam, a été détourné et redéfini par les hommes dans les pays arabes. Ces derniers ont récupéré cet attribut religieux pour légitimer leur pression sur les femmes, qu'ils exerçaient déjà dans la culture arabe, et pour asseoir leur position de dominants. Il est devenu un élément de la soumission de la femme vis-à-vis de l'homme dans beaucoup de pays soi-disant musulmans. Le mari cache sa femme pour préserver son honneur, il lui inculque l'idée selon laquelle son entrée au Paradis dépend de sa satisfaction, ce qui ouvre la porte à tous les abus. Le mari se place entre sa femme et Dieu. En fait, certains se servent carrément de Dieu pour sacraliser leur domination ! Ensuite, d'une éthique de respect et de régulation (en islam la femme doit être considérée comme un individu et non — justement — réduite à un sexe), ils passent à une logique de ségrégation et d'enfermement des femmes. Si, pour nous, le foulard symbolise la soumission à Dieu et pas à l'homme, ce n'est pas le cas de tous nos frères ! Certains gardent ou adoptent l'image de la femme soumise : « Je veux une voilée parce qu'elle est soumise » ! Ils voient leur tranquillité dans le foulard : « Si elle a le foulard, elle ne me posera pas de problème ! »

Redéfini à travers leurs interprétations culturelles machistes, le foulard devient le symbole de soumission de la femme. Et certaines femmes acceptent cette situation parce qu'elles intériorisent cette perception du voile, persuadées de son bien-fondé religieux. Il en découle un certain mode de comportement féminin, qui valide cette interprétation liée à la domination masculine : effacement devant les hommes, pas de prise de position personnelle... D'autres femmes adhèrent à cette soumission comportementale dans l'idée de se fondre dans la masse. Inconsciemment, leur fonctionnement est régi par le besoin d'être reconnues comme musulmanes. Elles ont le sentiment que la moindre affirmation personnelle de leur part conduirait « les autres » à remettre en question leur attachement à l'islam.

D.B. : Raison de plus pour passer à autre chose s'il est dans la réalité un moyen supplémentaire d'oppression des femmes ! Pourquoi donner les armes pour se faire battre ? On peut rajouter à ta liste les menaces faites aux fillettes algériennes non voilées par certains membres du FIS, les lapidations et arrestations des Iraniennes qui refusent de se voiler, et dont le seul recours pour exprimer leur souffrance est de se faire brûler publiquement... Sans compter les Afghanes qui n'enlèvent toujours pas leur burka, de peur de se faire repérer et ensuite violer.

S.K. : Non, je ne pense pas qu'on puisse accuser le foulard de constituer « une arme pour nous faire battre ». Les hommes qui veulent s'y employer, depuis la nuit des temps, trouvent toujours les moyens de le faire : une fois c'est l'enfermement, une fois c'est la privation du savoir, une fois c'est l'excision... D'ailleurs, en Occident, certaines revendications féministes ont également été détournées de leur objectif. On peut constater par exemple que le droit à disposer librement de son corps a aussi été récupéré de façon perverse : il n'y a qu'à regarder les publicités où les corps féminins sont utilisés comme de simples arguments de vente. Les images de nudité féminine replacent la femme dans un statut d'objet. Ça ne sert à rien de réprimer le foulard pour enrayer les dérapages sur le traitement des femmes, alors qu'il n'a pas contribué à les construire. Je ne crois pas que le voisin d'avion de ma sœur iranienne se comporterait différemment si la question du foulard n'entrait pas en ligne de compte. Il se serait de toute façon étalé, en arrivant en Iran, parce que c'est son territoire, un territoire d'hommes, de toute façon, avec ou sans voile.

En tant que françaises, nous sommes nombreuses à avoir développé une estime de nous qui nous donne assez de forces pour briser le carcan dans lequel beaucoup de femmes se trouvent prisonnières, ici ou ailleurs, avec ou sans voile. Nous nous sommes émancipées de cette image, parce que nous avons compris que l'on pouvait être musulmane autrement. Les Françaises de confession musulmane cherchent aujourd'hui leur place dans un univers où les normes semblent être toujours faites par les hommes et pour les hommes. Elles ne veulent plus être définies à partir de comportements préétablis, légitimées par un islam préfabriqué, modelé autour des besoins masculins. Elles ne veulent plus être jugées sur des attitudes censées rassurer la gent masculine sur leur chasteté. Elles ne veulent plus se projeter à travers ce que les hommes ont compris pour elles. Elles veulent se construire une image dans laquelle elles se retrouvent en tant que femmes, en tant qu'êtres humains tout simplement. Elles ont pris conscience de leur droit à occuper une place au sein du monde. Ce qui ne veut pas dire qu'elles veulent occuper toute la place. C'est leur place avec les hommes qui les intéresse, dans un rapport d'harmonie et de partage. Dans différents domaines, elles veulent se réapproprier les sources de leur foi tout en dénonçant les abus pratiqués par la manipulation du religieux. Elles revendiquent le droit à l'épanouissement personnel, au nom des valeurs qui sont les leurs. Cette démarche vient ébranler les habitudes culturelles maghrébines et/ou africaines qui sont à l'origine de la négation de la femme et de beaucoup de drames (violences conjugales, mariages forcés, permissivité outrancière pour les hommes au détriment du respect dû aux femmes...).

Alors, quand je porte mon foulard, c'est tout ça que je porte en moi et pas autre chose. Et je le porte avec des musulmanes qui ne se voilent pas ! Mais si l'on veut combattre les hommes qui en font un instrument de plus contre les femmes, peut-être faut-il arrêter de leur donner raison en reprenant leur interprétation de l'islam ? Pourquoi ne nous laisse-t-on pas définir nous-mêmes notre pratique ?

Tu as raison de souligner que le foulard peut avoir un effet pervers. Mais les médias occidentaux ont une grande part de responsabilité là-dedans. Ils parlent de l'islam en général et du foulard en particulier à partir des propos et des attitudes des manipulateurs. Ils lisent l'islam à travers ceux qui le déforment. Ils présentent le foulard comme le signe de la soumission à l'homme. L'excision comme une particularité musulmane, le mariage forcé comme l'application du droit musulman, etc. La liste est longue. Comment veux-tu que les jeunes qui ne connaissent rien de leur religion n'en profitent pas un maximum, puisque « Dieu le permet » ! C'est vraiment la caution suprême ! À chaque abus qu'on voudrait leur reprocher, ils répondent : « Chez nous, les musulmans, c'est comme ça... » Seules les interprétations sexistes et archaïques sont vulgarisées et servent de base pour les débats publics.

D.B. : Mais puisqu'il y a une réelle difficulté à lutter contre la manipulation du foulard, ne serait-il pas plus simple de trouver un autre moyen pour arriver au même résultat, sans pour autant abandonner l'éthique musulmane ? Ne peut-on pas considérer que l'on n'a plus besoin de cet attribut pour arriver à l'objectif recherché ? Que penses-tu de la position de Soheib Bencheikh[3], appelé le « mufti de Marseille », personnage public bien connu des non-musulmans, qui estime que « si le Coran a recommandé le voile, c'est dans le seul objectif de préserver la dignité et la personnalité de la femme selon le moyen disponible de l'époque de la Révélation. Si, aujourd'hui, le même moyen ne réalise plus le même objectif, il ne faut pas s'attarder sur ce moyen, mais le chercher ailleurs. Paradoxalement, ce qui préserve aujourd'hui la personnalité et assure l'avenir de la jeune fille, c'est l'école. C'est en s'instruisant que la femme peut se défendre comme toute atteinte à sa féminité et à sa dignité. Aujourd'hui, le voile de la musulmane en France, c'est l'école laïque, gratuite et obligatoire ».

Je pense à d'autres versets que certains musulmans réinterprètent parce que le Coran et le Prophète (PSL) posent justement le principe d'adaptabilité au contexte et à l'époque. Les sources de l'islam insistent sur le besoin de réflexion dans l'application des textes, afin justement de ne pas trahir leur esprit, comme l'illustre la fameuse anecdote du grand imam Malik, fondateur d'une des grandes écoles juridiques musulmanes du malékisme (VIIIe siècle), qui pleurait à la fin de sa vie en apprenant que ses adeptes appliquaient de façon automatique les avis qu'il avait donnés.

S.K. : Selon Soheib Bencheikh, il n'y a plus à avoir de débat sur le sens du foulard aujourd'hui, puisqu'il pose comme principe que le foulard est dépassé, qu'il ne peut plus remplir son rôle. Il faudrait passer à autre chose. Mais c'est encore décider à notre place. Et c'est surtout empêcher toute réflexion novatrice sur la fonction du foulard. Nous, jeune génération de Françaises de confession musulmane, sommes dans la position inverse puisque nous voulons réinterpréter nos sources à la lumière du contexte occidental du XXIe siècle. L'islam est une religion qui exige une interprétation continue en fonction du temps et des lieux. Aucun être humain ne peut s'arroger le droit de décider pour les autres et de réécrire les principes.

Il y a deux pressions contre lesquelles nous nous battons. Être obligées d'ouvrir les yeux sur ce qui se passe à l'étranger nous permet d'élaborer une stratégie de protection envers les musulmans qui veulent nous réduire à l'état d'objet. On se méfie de ceux qui veulent faire du foulard la seule preuve de foi, on se méfie de ceux qui veulent nous l'imposer, on se méfie de ceux qui veulent nous enfermer avec, nous enfermer dedans... Mais on se méfie aussi de ceux — musulmans ou non-musulmans — qui veulent se servir de cette situation étrangère et qui nous la mettent sans arrêt sous le nez pour nous empêcher de vivre notre religion !

Autrement dit, même si l'actualité internationale nous a aussi permis de mieux comprendre la crainte de ceux qui perçoivent le voile comme le signe de la soumission de la femme — crainte d'autant plus grande que toutes les injustices liées à la place insignifiante de la gent féminine dans nos sociétés d'origine sont articulées autour de la religion —, ce n'est pas pour cela qu'on va accepter de réduire le foulard à cette interprétation et à cette utilisation, et qu'on va se l'interdire !

D.B. : Quelles qu'en soient les raisons, le foulard reste un attribut « à deux faces », une « arme à deux tranchants », l'une oppressive et l'autre émancipatrice. Il garde un caractère dangereux, puisqu'il est retournable à tout moment par n'importe quel usurpateur... C'est déjà ce qui se passe et ce qui s'est passé dans l'histoire. Pourquoi prendre ce risque ? Le grand apport de l'islam est à mes yeux du côté du contrat social proposé aux hommes et aux femmes : au-delà de la soumission à un seul Dieu en échange de la paix dans la cité, l'intérêt me semble résider dans la relation directe qu'entretient chaque croyant avec Dieu. Être en relation constante avec Dieu sans intermédiaire conduit normalement à la responsabilité. Chaque musulmane, chaque musulman, est censé intégrer et intérioriser les interdits fondamentaux. Il n'y a pas de place pour une nouvelle oppression de l'un sur l'autre, puisque aucun être humain ne peut se prétendre supérieur à l'autre et imposer une conduite spécifique. Les seuls comptes à rendre sont auprès de Dieu. À chacun de faire ses propres comptes. Le cadre qu'il propose est censé faciliter le passage de soi au groupe et la construction d'une société centrée sur des intérêts communs dans une éthique d'égalité de tous. Tant que les femmes auront besoin de quelque chose de plus que les hommes pour être respectées, c'est que cet objectif ne sera pas vraiment atteint...

S.K. : Pour que le voile ne constitue plus une « arme à deux faces », il faut arrêter de confondre la manipulation du foulard avec le foulard lui-même. Les non-musulmans — et l'Occident à un niveau plus politique — favorisent ces comportements sexistes en les reliant à l'islam. Ils leur donnent ainsi un appui solide. Une argumentation. Une légitimation. Ce sont tous ces beaux penseurs sur les droits de la femme qui, en continuant à parler de l'islam comme d'une religion machiste, encouragent cette déviance. Eux aussi leur donnent des armes pour nous battre ! La meilleure façon de les contrer consiste à leur montrer que les mauvais traitements imposés aux femmes ne reposent sur rien. C'est de la maltraitance, point. En nous disant : « Quittez votre religion, enlevez votre foulard, vous voyez bien que l'islam est contre les femmes », ils reprennent à leur compte les interprétations des extrémistes : en s'appuyant sur leurs définitions, ils font le jeu des intégristes !

D.B. : Vous ne souhaitez pas vous faire enfermer dans une image que vous combattez... et vous êtes résolues à retrouver votre propre symbolique du foulard, mais il est tout de même difficile de rendre les seuls non-musulmans responsables de cette manipulation ! Ces derniers ne connaissent l'islam qu'à travers l'application qui en est faite par ceux qui se disent musulmans. Ils ne vont pas faire d'études théologiques pour évaluer quelle est la part de manipulation dans le discours religieux. Ce qui compte pour eux, ce n'est pas ce que dit le Coran, qu'ils n'ont pas à prendre en compte dans une société laïque du XXIe siècle, mais le traitement dans la réalité de toutes les femmes au regard des Droits de l'homme.

De ma place, je constate qu'il existe une réticence de la part des musulmans à dénoncer l'utilisation qui est faite de l'islam par d'autres musulmans. À l'intérieur même de la communauté, ce débat a lieu, de manière parfois très virulente. Mais vis-à-vis de l'extérieur, le silence prime. Seuls quelques intellectuels prennent position clairement, mais les responsables religieux sont beaucoup plus discrets. Sous prétexte de ne pas vouloir jouer le jeu de l'« obsession sécuritaire » des autorités qui suspectent d'intégrisme chaque musulman, par peur de diaboliser encore plus l'islam, certains musulmans se rendent complices de dérives graves. C'est un cercle vicieux qui empêche d'avancer. Les autorités françaises comme les musulmans français devraient en prendre rapidement conscience. Tant que les débats n'atteignent pas le grand public, le silence et l'ignorance permettent toutes sortes de manipulations.

S.K. : La peur de renforcer encore la phobie de l'islam pousse les musulmans à se taire. Je suis d'accord : c'est pourtant davantage leur silence qui est utilisé contre eux. On donne l'impression de cautionner les injustices perpétrées au nom de l'islam, d'être indifférent aux malheurs des autres. Cette attitude est indigne des valeurs que l'on porte. L'évolution est en route, mais elle est contrariée par ce doigt tendu, qui ne cesse de nous demander des explications sur ce qui se passe à travers le monde. Au moindre événement brûlant, nous sommes sommés de nous expliquer, de rendre des comptes. À défaut d'être coupables, nous sommes forcément complices. Est-ce que l'on voit en tout Corse ou en tout Basque un danger ? Est-ce qu'on aurait l'idée de demander des comptes au quidam qui passe dans la rue sur les actions terroristes ou encore de l'en rendre responsable ? C'est ce que nous subissons au quotidien. Les journalistes débarquent dans les quartiers pour interroger les musulmans sur ce que font les terroristes soi-disant musulmans. Lorsqu'un attentat se produit en Irlande du Nord, va-t-on interroger l'évêque de Notre-Dame-de-Fourvière pour recueillir son avis sur ses « cousins » d'outre-Manche qui posent des bombes ?

Cette attitude qui consiste à suspecter l'islam et à affilier tout musulman à une action terroriste ne peut qu'entraîner une réaction prévisible : une méfiance décuplée vis-à-vis de ceux qui veulent créer un « label » censé distinguer les bons des mauvais. Cela mène au repli sur soi.

D.B. : Je suis bien d'accord avec toi là-dessus, mais c'est très compliqué... L'islam est tellement inconnu qu'on est peut-être obligé de passer par une phase de déconstruction, d'explication, sans aller jusqu'à la justification... Cette absence de débat public conduit certains jeunes désœuvrés à se faire enrôler dans des groupuscules — certes très minoritaires — mais qui profitent de l'ignorance religieuse de ces jeunes et de leur besoin de dignité et d'identité. Le résultat de cet endoctrinement fait peur : on apprend qu'un vol commis sur la propriété d'un non-musulman ou qu'un viol d'une non-musulmane constituent devant Dieu des « butins de guerre », comme en témoignent les propos recueillis auprès de jeunes ayant été en contact avec la secte des habbaches. Bien sûr, toutes les associations musulmanes que je connais dénoncent ces mouvements en les appelant purement et simplement des « sectes ». Elles font un travail de prévention envers les jeunes et les informent de ces dérives. Mais il s'agit d'une réflexion et d'un processus internes. Il faut dire que ces associations qui se battent contre les sectes sont elles-mêmes suspectées d'intégrisme parce que, tout simplement, elles sont musulmanes ! Les autorités se mobilisent autour d'elles parce que leurs débats sont publics, pendant que les sectes œuvrent dans l'ombre, sans que personne ne s'y intéresse. Ces associations se retrouvent donc dans une position délicate : elles doivent dénoncer d'autres « musulmans » dans un contexte où des autorités estiment d'emblée que l'islam est porteur d'intégrisme. Ce qui ne ferait que renforcer la pression sécuritaire et les représentations sur l'aspect intrinsèquement dangereux de l'islam.

Quoi qu'il en soit, cette absence de débat public accentue la confusion déjà existante entre islam et terrorisme. Elle permet aux groupuscules sectaires de se prévaloir musulmans, ce qui renforce les laïcistes dans l'idée que toute religion — et a fortiori l'islam — est en elle-même dangereuse.

On retrouve le même type de raisonnement concernant l'étranger. Combien de musulmanes voilées se battent publiquement pour la cause des Iraniennes ? Il n'y a que des associations laïques qui le font, en s'en prenant à l'islam bien entendu ! Lorsque j'ai défilé pour la liberté des femmes en Algérie, j'aurais bien aimé me mélanger avec des sœurs voilées dans les manifestations. Cela aurait eu le mérite de montrer vos positions et de déconstruire les préjugés autour du symbole du foulard, plus que n'importe quel beau discours. Mais combien y en avait-il ? Où étaient-elles ? Il faut rendre publiques les positions sur les mouvements qui manipulent la religion, et pas uniquement le lendemain d'un 11 septembre ! Pour tous les aspects de la vie, c'est aussi important. S'il existait des associations musulmanes ayant pour objet la prévention des mariages forcés, des mutilations sexuelles et des droits des femmes, crois-moi, cela ouvrirait d'autres types de débats avec les non-musulmans. Malheureusement, les objectifs des associations musulmanes tournent exclusivement autour de la défense du droit à la religion, laissant les associations laïques prendre en charge les victimes de maltraitance au nom de cette même religion !

Si on peut effectivement reprocher aux non-musulmans de faire des confusions entre ce qui émane de l'islam et la manipulation qui en est faite, on peut également reprocher aux musulmans de ne pas se rapprocher d'eux pour lutter ensemble sur des causes communes. Ce serait la façon la plus efficace de désamorcer tous les malentendus, volontaires ou involontaires...

S.K. : Ce débat-là, c'est notre débat actuel. Au sein de mon association par exemple, nous parlons de plus en plus de notre manque d'implication dans des situations où il coulerait de source que nous soyons présentes. Il devient de plus en plus inacceptable de se prétendre musulman et de cautionner les comportements de certains, juste parce qu'ils se disent musulmans.

Mais tu es bien placée pour savoir combien les choses sont complexes. Lyon est une plate-forme expérimentale sur un certain nombre d'aspects. Justement, des associations musulmanes se sont alliées avec des militants de tous bords, absolument pas musulmans, autour de causes sociales et politiques qui nous sont communes à tous en tant que citoyens français. Eh bien, non seulement cela n'a rien arrangé dans nos rapports avec les institutions, mais les démocrates qui acceptent de discuter avec nous et d'engager des actions communes sont discrédités aussi !

D.B. : Nous reviendrons longuement sur cet aspect tout au long de l'ouvrage, mais auparavant, je voudrais qu'on approfondisse cette question du foulard par un témoignage émouvant d'une jeune fille habitant une banlieue, qui illustre bien la complexité du problème.

Pour faire cesser la violence

Je suis née à Lille-Sud, dans cet ensemble gris et sans âme. Ma mère fait des ménages dans les écoles maternelles. Mon père est au chômage depuis longtemps. Je n'ai pas le souvenir de l'avoir vu travailler. Néanmoins, il était toujours le premier à se lever le matin. À 7 h 30, il était prêt, avec son costume tiré à quatre épingles, rasé de près. Je suppose qu'il voulait garder sa dignité. Ou qu'il voulait donner l'exemple à mes deux frères... Mais ça n'a pas marché ! Le plus grand a déjà fait plein de conneries. Mon père a tout essayé : la parole, la compréhension, la menace, la sanction, et puis les gifles. Mais rien n'y a fait. Un éducateur lui avait dit de ne plus lui faire à manger après une certaine heure, mais il mangeait dehors. Il lui a dit de ne plus le laisser rentrer s'il était sorti sans autorisation, mais Momo est rentré à deux heures du matin avec la police. Le policier a toisé mon père : « Monsieur, votre enfant est mineur, la prochaine fois, je fais un rapport. » Depuis ce jour, cela a été fini. Mon père a décidé que ce n'était plus son fils. Il ne lui adresserait plus la parole. J'ai vraiment eu l'impression que plus rien de son fils ne le touchait. Il a commencé par repartir au pays de plus en plus souvent. Ma mère restait seule avec nous, ce qui n'était pas facile, car elle travaillait. Et puis, progressivement, je me suis rendu compte que mon père s'occupait de plus en plus de moi.

Des cadeaux par-ci, des cadeaux par-là. J'avais toujours eu de bonnes relations avec lui, mais là je devenais franchement gâtée. J'en ai profité un maximum, car j'avais bien compris ce qui se passait. Il se tournait vers moi en désespoir de cause. J'avais de très bonnes notes à l'école. Il n'y avait plus que ça de positif à la maison. Alors il misait sur moi. Et, en contrepartie des cadeaux, il commençait à resserrer la vis. Tout doucement, insidieusement, plus je grandissais, plus il m'achetait de choses, plus il se mettait à contrôler mes habits... Je savais que c'était normal, je devenais une femme, je ne pouvais plus m'habiller n'importe comment. Puis il a commencé à contrôler mes sorties aussi. Et je ne sais pas comment on est en arrivés là, mais c'est devenu insupportable. Il est devenu obsessionnel : j'avais cinq minutes de retard en revenant du lycée et il était vert de rage. Ça a glissé... C'est devenu un enjeu de survie pour lui. Tout reposait sur moi ! Je n'avais pas le droit au moindre faux pas ! Pendant ce temps, mon grand frère, suivi de mon petit frère, faisaient pire que mieux. Le grand avait arrêté l'école, le petit l'imitait dans sa façon de parler et de marcher, une catastrophe ! Le stéréotype du voyou ! Mais ce qui m'inquiétait le plus, c'était leur manque de respect pour ma mère. Petit à petit, ils ne baissaient plus les yeux lorsqu'elle criait. Puis ce sont eux qui se sont mis à crier. Un jour ce qui devait arriver arriva : alors qu'elle s'était mise devant la porte pour empêcher mon grand frère de sortir, il l'a carrément bousculée pour forcer le passage. J'ai attendu avec impatience que mon père rentre ce jour-là. Cela me semblait évident qu'il allait réagir, qu'il allait se réveiller et reprendre les choses en main. Mais cela a été l'horreur ! Il a dit à ma mère : « Laisse-le, ne t'occupe pas de lui, ne te fatigue pas pour lui... », c'est tout ce qu'il a trouvé à dire. J'étais horrifiée, je suis partie pleurer dans ma chambre toute la nuit, j'avais peur, peur de ce qui pouvait arriver... Cela a été le deuxième jour fatidique dans l'enchaînement des horreurs. Mon frère a dû réaliser qu'il était devenu le plus fort, et il s'est mis lui aussi à me contrôler quand mon père n'était pas là. Mais lui, c'était encore pire. Cela relevait de la persécution. Il prenait chaque prétexte pour faire une scène, et si j'avais le malheur d'essayer de répondre, il devenait violent, violent physiquement ! Moi qui n'avais jamais été touchée ni par mon père ni par ma mère, je me faisais battre par mon frère ! Le pire, c'est que pour se justifier aux yeux des voisins qui étaient aussi ses copains, il inventait des histoires sur moi. Il me salissait aux yeux du quartier pour leur montrer que s'il n'était pas là, j'allais devenir une traînée. Il allait jusqu'à faire croire qu'il buvait à cause de moi. Ça faisait bien longtemps qu'on sentait l'alcool lorsqu'il rentrait tard le soir ! Et ça devenait de ma faute ! Il inversait les rôles, en se plaçant dans celui de la victime qui devait tout contrôler alors que le père avait baissé les bras. C'était du délire total ! J'ai souvent pensé à partir, mais c'était impossible de laisser ma mère avec eux... Cela ne me semblait pas imaginable. Elle rentrait du travail de plus en plus épuisée, mon père était de plus en plus absent. Lorsqu'il rentrait, il parlait de plus en plus souvent des oliviers du jardin qui poussaient là-bas. Complètement déconnecté... Il fuyait droit devant, ou plutôt droit derrière... C'est dans ce contexte que j'ai attrapé un voile. Cela m'a pris comme ça, je me suis réveillée un matin, tout endolorie des coups que j'avais reçus la veille, et j'ai eu envie de me voiler. Je me suis voilée comme si je m'étais toujours voilée. Les gestes me venaient naturellement. Pourtant, je ne priais pas souvent avec ma mère. Entre mes devoirs, les courses et les tâches ménagères... Je n'avais de cœur pour rien. Et, ce matin-là, c'est devenu soudain un besoin. Non seulement je me suis voilée, mais je suis partie à la mosquée d'en face. J'ai tout de suite été soulagée de me retrouver parmi les autres. L'ambiance était calme, sereine... Les gens me parlaient avec respect. Il y avait un contraste saisissant avec notre climat familial. En sortant dans la rue, j'ai constaté que ça continuait.

Les gens qui me raillaient et m'embêtaient auparavant se sont tus et ont détourné leur regard. Le summum, cela a été à la maison. J'ai vu de la fierté dans les yeux de mon frère. J'hallucinais ! Croyait-il que c'était grâce à lui ? En voyant la même lueur dans les yeux des autres, je me suis calmée. Je me suis dit que c'était Dieu qui nous aidait. Il ne fallait pas rater cette chance. Et, effectivement, à partir de ce jour, mon frère a complètement changé d'attitude. Il baissait les yeux devant moi et me laissait le passage. Il ne me contrôlait même plus, j'étais devenue un exemple dans le quartier, il y avait plein de grands frères qui me montraient à leur sœur... Mon frère était devenu respectable : dans la tête des voisins, il avait fait du « bon travail ». Lorsque j'y pense, c'est vraiment horrible, j'ai envie de vomir. Mais à chaque fois que j'ai envie de me révolter aujourd'hui et de dire la vérité, j'ai peur qu'il ne retombe dans son ancien personnage. Car à présent, c'est devenu quelqu'un de positif. Il rentre à une heure convenable à la maison, surveille ses fréquentations, fait la morale à tout le monde, et... cherche du travail ! Ma mère est devenue sa protégée, il va jusqu'à faire les courses avec elle. Mon père s'est aussi détendu bien sûr, et il est revenu à la maison. Le pire, c'est que tout le monde a oublié les agissements de mon frère. Tout ce qu'ils ont retenu, c'est que moi, je suis rentrée dans le « droit chemin » le jour où j'ai porté le voile, comme si ç'avait été moi, le problème ! Mais je me tais parce que je suis devenue libre grâce à Dieu. Tous les jours, je prie pour que ça continue. Maintenant, je me concentre sur ma formation professionnelle et je rentre à n'importe quelle heure, c'est cela qui compte. Sortir du cauchemar et construire sa vie.

Houria, 25 ans, emploi-jeune en école primaire.

D.B. : Ce témoignage est fort parce que l'on sent bien l'impasse dans laquelle est acculée cette jeune fille qui n'a rien fait de mal et qui se retrouve tout porter sur ses épaules ! Cette capacité à « encaisser » est très féminine... La perte de dignité entraînée par le chômage du père de famille a des retentissements sur le fonctionnement de chacun de ses membres. On sent bien que cette déchéance — que l'on retrouve chez tous les hommes inactifs — est décuplée par l'histoire migratoire. Le sens de l'émigration, pour ceux qui ont pris un jour la décision de quitter leur pays, repose sur l'économique. On part dans l'espoir d'une vie meilleure. Et la place du père au sein de la famille, son rôle, sa légitimité et la légitimité de la place de la famille en France dans l'inconscient du père, reposent sur sa qualité de travailleur. Perdre son emploi n'entraîne pas uniquement une perte de revenus, mais la remise en cause du sens de l'histoire de la famille. Ce père se raccroche à la nostalgie lorsque le comportement de son fils aîné lui apporte la preuve de sa déchéance. Comme beaucoup d'autres, la mise en avant de sa culture d'origine constitue alors sa réponse à l'échec de sa migration. On assiste à une revendication des spécificités, à une sorte d'accentuation identitaire, symptôme d'une insécurité ressentie. Bien que l'installation en France soit devenue définitive, elle redevient provisoire pour cet homme : la nostalgie l'empêche de s'inscrire dans la réalité.

L'histoire de Houria illustre parfaitement les situations que je rencontrais au sein de ma fonction d'éducatrice. Des jeunes filles, dans un contexte familial et social difficile, cherchent à se préserver et à garder une place en s'entourant d'une identité de « sainte ». Cela arrive à certains garçons aussi, qui peuvent emprunter cette voie pour retrouver une dignité, à laquelle ils peuvent accéder sans argent. Cette « filière spirituelle » leur permet de trouver un sens à leur vie, d'accéder à un rôle positif au sein de leur quartier, de devenir utiles et indispensables, même lorsqu'ils sont sans emploi. Les conférences sur l'islam leur ouvrent les portes de l'histoire en leur parlant de la vie et des avis du Prophète. De là découle une découverte de la civilisation de leurs ancêtres, qui permet du même coup de parler du passé. C'est souvent la première occasion de combler les trous de mémoire tant des familles ayant émigré dans le pays de l'ancien colonisateur que d'une France qui vient à peine de reconnaître la guerre d'Algérie en tant que telle. Or, en niant la colonisation, on en nie également les séquelles. Un grand nombre de jeunes ne savent même pas ce qui a poussé leurs parents à émigrer, ni les conditions dans lesquelles cette transplantation (camps de regroupement dans le pays d'origine, bidonvilles[4] en France en guise de logements, etc.) s'est produite.

En passant par l'islam, ils sortent ainsi parfois de la délinquance, et même de la toxicomanie. On les retrouve habillés de blanc, ayant échangé leur paire de baskets Nike contre des « claquettes à dix balles ». L'expérience sur le long terme prouve que bien souvent, le fait de se sentir mieux les conduit à la réinsertion économique, parce qu'ils sont amenés à rencontrer des gens et ont acquis une meilleure hygiène de vie. Le religieux a été un passage, une étape... ou peut devenir un tremplin leur permettant de s'insérer au sein de la société.

Dans le cas présent, le processus est très différent, mais on peut penser que la jeune Houria utilise le voile de façon utilitaire pour se protéger des attaques de son frère. Il est porté pour arriver à vivre, ou plutôt à survivre. Peut-on dire que cette utilisation relève encore du religieux, dont Houria ne fait que peu état dans son témoignage ? N'est-on pas en train d'observer une réaction de l'ordre du social, sans grand lien avec le religieux ?

S.K. : Ce que vit Houria n'est pas un cas isolé. Les deux mots forts dans ce témoignage sont celui de *respect* et de *dignité*. Le foulard vient ici s'inscrire dans le parcours d'une famille minée par le chômage. Ce père a perdu son honneur en perdant son travail. Il faut donc retrouver une autre forme d'honneur. Houria, en se voilant, espère devenir respectable pour son frère. Dans le même mouvement, elle relève à elle toute seule l'honneur de sa famille ! On retrouve ici un fonctionnement assez traditionnel de la culture maghrébine, dans lequel l'honneur des membres du clan familial repose sur la femme. Ce qui est intéressant de constater, c'est cette découverte de la respectabilité, cristallisée autour du foulard, qui leur a permis de se restructurer. Cet exemple n'est pas représentatif du processus général qui amène les jeunes filles vers le foulard, parce que dans la plupart des cas, le foulard intervient après un début de pratique religieuse. Il ne permet donc pas de comprendre le processus spirituel d'une musulmane voilée, mais a le mérite de nous interpeller sur l'importance de l'estime de soi pour vivre au sein d'une famille et d'une société. Dans cet exemple, à mon sens, Houria est passée par l'islam pour essayer de récupérer quelque chose de leur dignité perdue.

À ta question : « Est-ce une démarche sociale ou religieuse ? », j'ai envie de répondre : les deux. Si cette anecdote peut être lue à travers une grille strictement utilitaire par un non-croyant, tu remarqueras qu'elle-même la relie à une aide de Dieu. Elle ne parle pas d'une démarche spirituelle qui la mène à se voiler, mais d'une main tendue de Dieu peut l'aider à trouver le moyen de se poser en face de son frère et de lui dire stop. Houria veut imposer à son frère son égalité. C'est l'ultime moyen qu'elle a trouvé, mais elle poursuit cet objectif. Elle la signifie également aux garçons de la cité.

D.B. : Plusieurs aspects de cette histoire sont profondément choquants : le fait que son frère récupère le voile de sa sœur dans son propre intérêt alors que Houria s'est voilée pour se protéger de lui et pour l'arrêter dans sa violence... Pourtant, il présente aux autres le changement de sa sœur comme si, grâce à lui, elle était devenue sérieuse. On sent bien dans les propos de celle-ci que c'est d'abord insoutenable pour elle. L'injustice des injustices ! Puis elle se fait une raison : ce qui compte, c'est qu'il se soit calmé et qu'elle puisse enfin respirer... Je trouve que ce témoignage illustre à merveille la manière dont le foulard peut être, de façon assez perverse, complètement récupéré et utilisé à l'encontre de son objectif initial.

S.K. : En effet, il est ici complètement détourné de sa fonction. Cet exemple illustre parfaitement ce qui a été dénoncé dans le chapitre précédent. Au lieu de respecter Houria en tant qu'être humain, son frère va uniquement respecter son foulard en tant que symbole. Il arrête de la frapper parce que sur un plan religieux, elle est devenue quelque chose, mais elle n'est toujours pas *quelqu'un* ; elle n'est toujours pas un individu. Ses émotions ne sont pas prises en compte. Ce n'est pas elle qu'il respecte, c'est le symbole. Il n'estime que ce qu'elle est censée représenter. Sans son foulard, elle n'est rien, et c'est pour ça qu'elle a envie de vomir... Parce que même *avec*, elle n'est toujours *rien* : juste un trophée qui permet à celui qui la faisait souffrir de se pavaner devant les autres, juste une preuve de sa virilité.

D.B. : Ce qui est encore plus choquant, c'est tout simplement qu'elle ait eu besoin de se voiler pour faire cesser la violence. On est au cœur du problème. Dans de nombreux quartiers, seules les voilées sont respectées. Les autres apparaissent aux yeux des garçons comme des filles faciles, qui veulent bien se faire draguer... Donc on ne s'en prive pas, sans remords. Seul le voile apporte la respectabilité. En clair, les filles de la cité — musulmanes ou pas — ont le choix entre deux statuts féminins possibles : la « sainte » et la « fille facile »... Et que deviennent les femmes qui revendiquent leur respect non pas au nom de l'islam mais au nom du droit qu'elles ont — en tant qu'êtres humains tout simplement — de décider elles-mêmes de leur destinée individuelle ?

S.K. : Effectivement, celles qui sont voilées ne se font pas aborder par les garçons. Mais est-ce vraiment du respect ? Elles n'existent pas pour autant. Ces garçons agissent comme le frère de Houria. Ils font du foulard un périmètre de sécurité qui assure une certaine adhésion des femmes à leur propre façon de penser : celles qui portent un voile sont des « filles bien ». C'est un respect « de principe ». Celles qui ne sont pas voilées ne sont que des corps, celles qui sont voilées ne sont qu'un foulard. Ce qui est récurrent dans l'attitude d'une partie des garçons de banlieue, c'est que les filles doivent correspondre au modèle d'infériorité hérité de la culture arabe. Autrement dit, avec ou sans foulard, elles sont d'abord censées correspondre à une norme. Elles doivent adhérer à un modèle de comportement, sous peine que ces garçons remettent en question leur respectabilité. Il n'y a aucune individualité mais une obligation de suivre un modèle. Sous prétexte de religion, elles sont « clonées » : « Si tu ne suis pas ce modèle, c'est que tu n'as pas compris ton islam. » Alors que le foulard, comme d'autres aspects de l'islam, est censé être un tremplin pour un épanouissement personnel, il devient un *prêt-à-penser*. On n'attend pas d'elles qu'elles soient musulmanes mais qu'elles le paraissent. Elles ne portent pas leur foi personnelle, elles portent l'islam. Elles sont responsables de la religion, devenant les gardiennes d'un code de conduite intangible. Dans la relation garçons-filles des banlieues, Dieu n'est ici qu'un prétexte — un moyen — pour renforcer un pouvoir masculin, en enfermant les femmes dans une norme. Mais ni l'islam ni a fortiori le foulard ne sont responsables de cette situation : ils sont utilisés. C'est un problème de culture et de société. La religion sert d'otage dans cette histoire. Les viols collectifs, banalisés sous le terme de « tournantes », ne peuvent être reliés à l'islam comme certains voudraient le faire croire, sur la lancée du 11 septembre...

D.B. : Il est vrai que les représentations de l'islam sont telles que lorsqu'un individu musulman adopte un comportement négatif, on le relie à sa religion. Cette question ressort de façon significative dans les interventions des travailleurs sociaux. Devant certains comportementaux familiaux, qui relèvent en fait du dysfonctionnement, ils s'imaginent se heurter aux valeurs de la civilisation arabo-musulmane. La seule solution envisageable à leurs yeux pour aider le jeune a longtemps été de l'extirper de son milieu. Face à une situation répertoriée sur un registre culturo-religieux, ils adoptent deux types d'attitude : soit ils deviennent de fait plus conciliants — acceptant ce qu'ils n'accepteraient pas dans d'autres familles —, soit ils proposent au jeune un choix entre, d'un côté, ses droits (ceux-ci appartiendraient strictement à la culture française) et, de l'autre côté, la soumission à des injustices (conséquences de la fidélité à la religion). Les filles, notamment, se retrouvent dans une situation où elles ont le choix entre se soumettre à des mauvais traitements au nom de l'islam ou rompre avec l'islam pour revendiquer leurs droits !

S.K. : Effectivement, quand les éducateurs interviennent, ils imposent le modèle dit « occidental » comme unique moyen d'émancipation. À leur tour, ils imposent des normes. On t'explique que la libération de la femme passerait par le rejet de l'islam ou ne passerait pas ! Pourtant, chaque système d'émancipation s'inscrit dans une histoire qui est la sienne. En France, les féministes se sont battues pour obtenir leurs droits. Cela impliquait par exemple celui de se vêtir comme elles le souhaitaient, parce qu'elles avaient compris que le vêtement était utilisé pour asseoir le pouvoir masculin. Enlever le corset était un préalable parallèlement à la revendication de droits fondamentaux comme le travail, la citoyenneté, etc. Pour cela, il leur a fallu se battre contre le clergé qui maintenait les femmes dans l'infantilisation. Du coup, on imagine que notre émancipation ne peut passer que par la lutte contre l'islam et le rejet du voile. C'est faire fi du principe de base musulman, qui consiste à relire le sens des textes au regard du contexte actuel, et qui nous laisse d'autres choix que la rupture avec notre religion pour évoluer. Les musulmanes cherchent à s'épanouir en tant qu'individus dans le respect de leur éthique musulmane. L'islam est pour elles un facteur d'émancipation, et non d'oppression. Une musulmane, avec ou sans foulard, trouve dans l'islam une philosophie de vie qui lui propose des moyens nécessaires pour se construire. Dans la logique de notre combat, obliger celles qui portent le foulard à l'enlever reviendrait à se soumettre à la manipulation de cet attribut par les hommes, comme je l'ai déjà largement développé. Ce serait renoncer à la liberté de se construire *avec* le foulard.

D.B. : La première liberté d'une démocratie est celle qui est donnée à l'individu de choisir ses références pour se construire librement. Ce droit n'est effectivement pas donné aux femmes issues de l'immigration maghrébine et africaine. On continue de penser qu'elles ne peuvent « s'intégrer », « se moderniser » que si elles se défont de toutes leurs références d'origine. Certains chercheurs[5] dénoncent cette espèce d'assignation à des places prédéfinies, faisant fi de tous les processus individuels que tout être humain met en place. On ramène les « beurettes » aux deux seules alternatives de femme « arabe musulmane soumise » ou de « femme athée dite occidentalisée ». On part du principe qu'elles doivent choisir un modèle ou un autre. Lors de la série d'émissions intitulée « L'islamalguame » sur France Inter[6] auxquelles j'ai participé, des auditeurs ne comprenaient pas qu'on puisse parler d'un « islam intégrateur ». Le leitmotiv de leurs messages tournait autour de l'idée selon laquelle « quand les musulmanes seront libres de fréquenter autant d'hommes qu'elles veulent, alors on pourra nous parler d'intégration ». La liberté se mesure au nombre de relations sexuelles... À force de travailler entre les musulmans, les institutions liées à cette question et les chercheurs spécialisés, j'avais oublié qu'une partie du débat public en était encore là.

Devant cette vision du monde bipolaire, certains musulmans présentent également leur modèle comme le seul possible, par opposition au premier, le foulard étant brandi, de par son caractère visible, comme un étendard. Et on en revient à ce que tu dénonces sur les normes imposées par l'intermédiaire de l'islam... En fait, chacun se rigidifie dans son modèle.

S.K. : Pour l'anecdote, à la libération de Kaboul, la première image que les télévisions ont montrée pour preuve de liberté n'a pas été une femme en train de travailler — ou d'aller se faire soigner — mais une femme en train de se faire maquiller. Symbolique ! On passe de la burka au rouge à lèvres ! On se rassure, non pas sur le bien-être humanitaire, mais sur la capacité de ces femmes à ressembler au modèle de référence occidental. On est davantage dans une logique consistant à imposer un modèle de société qu'à évaluer la libération réelle de ces femmes. Dans les banlieues, la logique peut être comparable, en ce sens qu'on fait semblant de penser que l'équilibre des filles et leur épanouissement passent par une sexualité anarchique, qui devient à elle seule preuve de liberté. On fait du quartier un grand « loft », où l'on ne retient que l'aspect sexuel : l'aspect vestimentaire, les comportements, les histoires... Dans ce contexte, certaines familles sont poussées dans leurs retranchements parce qu'elles sont mises devant un choix strict : libertinage sexuel ou soumission comportementale aux relents d'islam... Comment s'étonner qu'elles se servent des foulards comme d'un rempart imaginaire ? Comment s'étonner qu'une jeune fille devienne d'un jour à l'autre respectable uniquement pour s'être mis du tissu sur la tête ? Parce qu'elle s'est retirée du « loft », tout simplement.

D.B. : Plus nous avançons dans nos échanges, plus je me demande si le foulard ne parasite pas le débat de fond en concentrant l'attention sur lui. Il le déplace sur le domaine juridico-laïque au lieu de se concentrer sur la question essentielle des valeurs. Du coup, l'interconnaissance des histoires de civilisations, des mémoires spécifiques et communes, des interrelations entre les sociétés, est occultée. Au lieu d'ouvrir le débat fondamental sur cette relation entre l'Occident et l'Islam, il cristallise les réactions sur le port des insignes religieux en terre laïque, sur la question du communautarisme, etc.

S.K. : C'est la gestion politicienne du foulard qui maintient les débats dans le domaine juridico-laïque. Il pourrait au contraire être un levier pour aborder des questions de fond, comme celle du contentieux de la période coloniale, de la construction de l'islam en France, de la définition de l'identité française... Au fond, on ne veut pas aborder ces questions. Avant le foulard, on ne les abordait pas non plus !

Le voile peut-il être laïque ?

Je pratique depuis l'âge de 12 ans, j'ai commencé toute seule, à partir de ce que connaissaient mes parents : le ramadan et la prière. Mais dans ma famille, personne n'avait été vraiment scolarisé, c'était donc de la transmission orale. Lorsque je suis devenue étudiante, j'ai arrêté la prière par manque de temps. Lorsque j'ai réussi mon DESS, puis mon concours de contrôleur des impôts, je me suis établie et j'ai pu m'occuper de ma spiritualité. Mais à cette époque, on entendait un tas de choses sur l'islam. Comme j'étais devenue juriste, j'ai appliqué la méthodologie des juristes. Je n'ai pas écouté ce qui se disait, je suis revenue à la source. J'ai eu accès à des livres en français. Et c'est en étudiant les sources que j'ai découvert que le voile était une obligation pour les femmes. J'ai été convaincue que c'était à Dieu que je me soumettais et non pas aux hommes. À travers la connaissance de Dieu, ma foi augmentait, je voulais me voiler la tête en signe d'humilité. Je n'arrivais plus à sortir comme ça, je sentais ce besoin intérieurement, c'était très fort. Et donc, un matin, je me suis couverte et je suis allée au travail.

Mon directeur — qui m'appréciait beaucoup pour mon travail — était consterné. Il m'avait notamment choisie pour enseigner la méthodologie de contrôle, ce qui constituait vrai-

ment une belle reconnaissance de mes compétences car je n'étais pas ancienne dans mes fonctions. Ce matin-là, je suis allée lui parler pour le rassurer un peu, histoire de lui montrer que c'était toujours moi. Mais lui m'a tout de suite avertie qu'il était hors de question que je travaille avec « cette tête-là ». Il a prétendu que l'interdiction de porter un insigne religieux était mentionnée expressément dans le statut de la fonction publique. Depuis, j'ai vérifié, et il n'en est rien. Ensuite, j'ai été régulièrement convoquée dans son bureau, où je subissais de multiples pressions. Il me disait qu'à 32 ans, je ne retrouverais pas de boulot, surtout après une révocation de la fonction publique. Pourtant, d'autres fonctionnaires ont purgé une peine pour vols de voiture et ont réintégré leur poste ensuite ! Je ne considérais pas ma « faute » plus grave ! Je me sentais vraiment déconsidérée... Le plus douloureux, c'est qu'il insistait sur le fait que c'était de ma faute si on me détestait. Parce que c'était moi qui étais comme ça. C'était moi qui voulais m'exclure. Si j'arrêtais, on m'apprécierait comme avant. C'était comme si je les avais trahis. Maintenant j'avais détérioré les relations entre nous, qui ne pourraient jamais plus exister comme avant ; j'avais créé un fossé... Pourtant je n'avais pas changé. Quelque part, il ressortait que j'aurais déjà dû être contente d'être contrôleur des impôts avec eux... En rajouter en me voilant, c'était vraiment dépasser les limites de la décence ! Ensuite, mon directeur est passé à l'étape au-dessus. Au-delà de l'aspect affectif, il m'a annoncé que j'allais certainement me faire agresser par les usagers du service public étant donné le contexte international (c'était juste après le 11 septembre).

Pourtant, je n'ai rencontré aucun problème : je me suis vite rendu compte que mes relations avec mes administrés ne changeaient pas. J'avais parfois l'impression qu'ils ne réalisaient même pas que mon foulard était lié à l'islam car plus d'une fois, en plein ramadan, ils continuaient à me proposer du café. Ce qui les intéressait en moi, c'était l'avis que j'allais rendre en tant que contrôleuse. Attention, l'inspectrice est là. Foulard ou pas foulard, musulmane ou pas musulmane, pour eux je restais l'inspectrice. Ils me voyaient par rapport à ma fonction. Mes supérieurs hiérarchiques voulaient me réduire à mon foulard, à ma dimension spirituelle, à une musulmane qui ne pouvait pas exercer sa fonction. Il fallait choisir : inspectrice ou musulmane ! Alors que les clients, chefs d'entreprise contrôlés, malgré cet attribut religieux, ignoraient cette dimension. Le signe n'était pas visible de la même façon.

Il y a une autre dimension à signaler : les chefs d'entreprise sont soumis dans leurs relations de tous les jours à une législation privée qui comprend l'interdiction de toute discrimination religieuse. Ils sont loin de pouvoir penser que l'administration, qui est chargée de l'application des réglementations, puisse estimer avoir le droit de discriminer ses propres agents !

De son côté, mon directeur a ensuite orienté ses entretiens sur le pan de la laïcité. Il me l'a tellement mise en avant qu'un jour, je ne l'ai plus supporté. C'est vrai qu'on ne voit pas les mêmes choses, car les croix autour des cous, il ne les voyait pas. Le jour où ils ont installé le sapin de Noël, comme chaque année, avec les petits anges qui pendaient, cela m'est monté à la gorge, et j'ai appelé un huissier pour qu'il constate la présence du sapin. Cela a été la révélation. J'avais marqué la question de la visibilité. On voit ce qu'on veut. Les sapins de Noël et les anges sont laïques ! Le repas de Noël est laïque aussi ! Au boulot ! Je partage volontiers le repas de Noël avec mes collègues, mais arrêtons de mettre la laïcité à toutes les sauces ! « Comment ça, tu n'as pas de sapin de Noël chez toi ? Attention, tu vois bien que tu t'exclus ! » Cela revient tout le temps : « Tu n'as pas honte d'être ce que tu es ! Mais tu nous choques à nous montrer ce que tu es, tu vois ce que tu es en train de nous faire subir... » Et le pire, c'est qu'il y a des personnes qui, parce que vous portez le foulard, refusent de vous parler. C'est comme si ça les rabaissait eux-mêmes de parler avec moi « dans cet état ». En tant que personne, je ne pouvais plus espérer accéder à eux. Ils ferment la symbolique, leur symbolique, et refusent que l'autre redéfinisse sa propre symbolique. Ils refusaient d'entrer en relation avec moi : on ne peut pas être français avec une tête comme ça. Ils ont fini par rédiger une pétition pour exprimer le choc que produisait ma vue et demander aux responsables de prendre des mesures disciplinaires contre moi. J'ai reçu un arrêté ministériel de suspension pour faute grave de quatre mois, avant de passer devant la commission de discipline, instance qui a eu à juger des cas de tentatives de meurtre, d'homicides involontaires et d'escroqueries...

Les syndicats ont fini par me défendre, parce que j'ai pu faire la preuve de la discrimination à mon égard, et montrer que beaucoup de gens dans mon administration portent des signes religieux appartenant à une autre religion. Je pense aux croix des chrétiens mais aussi aux kippas des juifs.

Il y a une chose évidente à mes yeux : si j'avais été chargée de nettoyer les toilettes du ministère, voilée ou non voilée, cela n'aurait posé de problème à personne. Ce qui pose un problème dans mon cas, c'est qu'on considère que je ne suis pas à ma place. C'est un privilège d'être contrôleuse des impôts en étant d'origine émigrée, et la moindre des choses, c'est de rester discrète. Il est là, le vrai problème.

Naïma, 33 ans, contrôleuse des impôts.

D.B. : C'est en partie au nom de la laïcité que le foulard est insupportable à de nombreux Français. Ce qui leur apparaît primordial, c'est que notre société se fonde d'abord sur la séparation de l'Église et de l'État, du spirituel et du temporel. Certains en déduisent que les convictions personnelles ne doivent pas apparaître en public. Après une période de combat, un compromis pacifique entre la laïcité et les religions s'est réalisé. Une de ses déclinaisons a été — pour les enfants — l'octroi d'un jour de congé en semaine pour qu'ils puissent aller au catéchisme, ainsi que la mise en place d'aumôneries, et de manière générale l'alignement des jours fériés sur les principales fêtes chrétiennes... La Constitution reconnaît la liberté de conscience et de culte. Rappelons également que les départements d'Alsace et de Moselle ont gardé le régime concordataire lorsqu'ils sont redevenus français, exception de taille d'une France « une et indivisible »... Il a fallu du temps, mais à présent, la laïcité fait partie de la République au même titre que la démocratie et la citoyenneté.

Elle incarne une philosophie de vie qui se propose de transcender les différences religieuses et cultuelles, en mettant l'accent sur ce qu'il y a de commun. Cette vision du monde a permis d'apaiser les tensions sociales et notamment de permettre, par exemple, des mariages entre personnes de religions différentes ou sans religion, interdits par l'Église.

Le témoignage de Naïma nous ramène aux fondements de la société française. Il illustre deux questions de fond posées par le foulard : le signe religieux au sein de l'espace public laïque et la politique d'intégration. Il y a plusieurs dimensions dans ces propos : qu'est-ce qui est laïque ? qu'est-ce que la visibilité ? le caractère ostentatoire ? le foulard entraîne-t-il une séparation d'avec les autres ?

Qu'on le veuille ou non, le foulard est particulièrement visible. Personnellement, je suis attachée à ce qu'en France, on ne se détermine pas, et surtout on ne soit pas déterminé par son appartenance religieuse. C'est le principal gain de la Révolution française. Quand tu passes la frontière, on ne te demande ni ton parti politique ni ta religion... Tu es libre, contrairement à bien d'autres pays. Ce n'est pas seulement une liberté de conscience, mais une liberté de choix. C'est la liberté fondamentale de déterminer soi-même ses attaches, ses références. Ce n'est pas parce que tu es « basané » que tu ne manges pas de porc. Ce n'est pas parce que tes parents ne sont pas musulmans que tu ne peux pas l'être... Tu n'as pas de comptes à rendre sur ta construction. Tu es un Homme, une Femme, c'est tout et c'est Tout. On met en avant les ressemblances, qui sont plus fortes que les différences. Je trouve ça beau.

Le foulard est perçu comme atteinte au principe de laïcité. Quand je mets des vêtements amples, je reste fidèle à mon éthique de musulmane tout en restant proche des non-musulmanes. Je ne me démarque pas par un signe différent. Je suis autant en relation avec ma religion qu'avec les autres. En mettant ton foulard, tu te définis d'abord en tant que musulmane. Il y a donc distanciation, séparation vis-à-vis des non-musulmans...

S.K. : Pour toi, ça fait séparation. Pour moi, je vais t'étonner, ça fait lien. Comment t'expliquer... Les rapports humains sont fondés sur des échanges d'idées. Mon foulard est un tremplin vers une expression encore plus large qui mène à un échange avec l'autre encore plus authentique. Il est le prolongement de moi-même. Lorsqu'on communique, on donne toujours une partie de soi et on reçoit une partie de l'autre. L'échange s'articule autour du partage. Celui-ci ne peut être fructueux que dans la mesure où chacun est accepté comme il est. Mon foulard est un prolongement de ce que je suis à l'intérieur. L'enlever alors que je me suis construite avec reviendrait à faire semblant d'être ce que je ne suis pas. En ce sens, il ne me coupe de personne mais au contraire me facilite des relations plus profondes. Ce n'est pas le foulard qui fait séparation, ce sont les a-priori qui l'entourent ainsi que les symboliques négatives qui lui sont liées.

En fait, l'islam propose : « Parce que Dieu vous a créés et parce que vous lui faites confiance dans le choix qu'il fait pour vous, appliquez un certain nombre de choses, vous allez être bien avec vous-mêmes, et parce que vous allez être bien avec vous-mêmes, vous allez être bien avec les autres ». Quand j'ai mis le foulard, j'ai trouvé ça beau. Je me retrouve dans une façon d'être, une élégance d'esprit. Mon extérieur est simplement redéfini. Je ne mets pas le foulard pour revendiquer quelque chose... Il se voit, c'est une chose, mais je ne le mets pas *pour* qu'il se voie. C'est par essence qu'il se voit.

D.B. : La visibilité du foulard a tout de même une fonction puisque le verset du Coran dit : « Pour qu'elles soient reconnues... »

S.K. : Surtout au niveau du contenu du message envoyé aux hommes. Le foulard incarne une volonté de rappel : « Rappelle-toi que la femme est un être comme toi », « Rappelle-toi qu'elle est ton égale ». « Rappelle-toi », systématiquement. C'est comme la prière : tu la fais cinq fois par jour pour te rappeler Dieu et son enseignement.

D.B. : La question, c'est de comprendre les répercussions de l'affichage extérieur de ses références au sein d'une société qui veut unir les hommes au-delà de leurs caractéristiques...

S.K. : Le Conseil d'État a jugé que la visibilité du foulard n'est pas en soi une atteinte au principe de la laïcité, même à l'école. Il dit qu'il faut évaluer ton comportement pour voir si tu es neutre ou pas. Le caractère ostentatoire est affaire d'appréciation. Peut-être qu'on nous voit *d'abord* comme musulmanes lorsqu'on est voilées parce que l'image du Français type, c'est plutôt le béret... On nous dit : la laïcité n'est pas contre la liberté des consciences mais contre l'exhibition des appartenances. Pourquoi le foulard serait-il plus une exhibition qu'autre chose ? Lorsque tu vois une croix autour du cou d'une de tes collègues, est-ce que tu vois d'abord la catholique, ou ta collègue ? Quand tu vois un bouddhiste qui vient de raser ses cheveux, tu ne vas pas lui dire : « Mets-toi des cheveux parce que je te reconnais en tant que bouddhiste. » Tu présentes le fait de s'afficher avec un foulard comme une mise en avant de notre appartenance musulmane, ce en quoi je ne me reconnais nullement. Je me retrouve tout à fait dans les acquis de la Révolution française. Je n'ai pas du tout envie d'être déterminée par mon appartenance religieuse. Je voudrais bien qu'on me perçoive d'abord comme une femme française et que le détail de mon voile soit perçu de la même façon que la croix de ma copine.

D.B. : C'est vrai que le témoignage de Naïma présente ce type d'exemple : une fois voilée, elle a continué d'incarner avant tout sa fonction d'inspectrice aux yeux de ses administrés. À aucun moment ces derniers ne l'ont perçue différemment. Elle a posé les choses de telle façon que son foulard n'intervienne pas dans l'exercice de sa profession et donc dans ses relations avec les autres. Mais cela ne fonctionne qu'avec ceux qui sont sous sa hiérarchie. Ses supérieurs, quant à eux, réagissent à l'opposé des administrés. Ils ne voient plus que ce foulard et décident qu'elle n'est plus en capacité d'exercer.

Ce n'est pas un hasard si les personnes en position de supériorité vis-à-vis de Naïma réagissent différemment de celles qui sont évaluées par cette dernière. Il y a — sous la question du regard que l'on porte sur le voile — la dimension dominant-dominé. Le fait qu'une enfant de migrant ait pu atteindre un niveau social aussi élevé sans s'être « assimilée » interpelle. Il signifie en lui-même que l'on peut être à la fois musulmane et moderne. Cela fait violence à toutes les représentations sur l'islam, qui restent liées à l'archaïsme. Naïma a montré que l'on peut étudier, devenir autonome, s'épanouir tout en restant musulmane. Plus que ça, c'est une fois qu'elle est socialement installée qu'elle décide de parfaire sa spiritualité en se voilant. Elle démonte à elle toute seule les deux schémas normatifs dont nous avons abondamment parlé dans les premiers chapitres. Elle n'a pas eu besoin de rejeter l'islam pour s'accomplir personnellement et professionnellement. Elle n'a pas eu besoin d'adopter un comportement de femme soumise pour vivre pleinement son islam...

S.K. : Être perçues uniquement comme musulmanes, c'est justement notre problème. Le témoignage de Sabrina l'a fort bien exprimé. Les autres en ont parlé aussi. Chacune, à sa façon, est passée par cette interrogation. Toutes les filles qui ont voulu se voiler ont souvent retardé leur geste parce qu'elles ne voulaient pas être exclues.

D.B. : Mais pourquoi alors, dans la logique de vouloir mettre en avant votre lien avec les autres Français, ne pas inventer une mode de « foulard français » ? Ce serait aller au bout de la revendication de l'« islam français » ! Se voiler à la « mode iranienne » rappelle indubitablement la révolution islamique. C'est comme porter un uniforme. Sabrina le dit elle-même : comme le noir rappelle l'Iran, elle met de la couleur. Mais la façon de nouer ce fameux morceau de tissu est également lourde de symbole. Dans le Coran, rien n'est précisé sur la manière de se voiler, si ce n'est de « ramener le pan de leur mante sur elles »... Dans le contexte actuel, cela peut se décliner de façons très différentes. Certaines jeunes filles nouent un premier foulard comme un turban en arrière et rajoutent un deuxième foulard sur le cou, pour qu'il soit également couvert. D'autres mettent différents chapeaux assortis d'un col roulé ou d'un foulard autour du cou. Dans ces cas de figure, l'islam peut être perçu comme une composante française. Mais le voile porté comme les Iraniennes ramènera toujours les esprits au symbole qu'il incarne là-bas...

S.K. : L'islam ayant toujours été considéré par le monde qui nous entoure comme une religion de l'étranger, nous aussi avons fini par intérioriser tout naturellement cette idée. Lorsqu'on a voulu être musulmans, on a spontanément importé des modes vestimentaires venant des pays musulmans, pensant profondément que ça ne pouvait pas être autrement. L'islam était lié à cet « ailleurs » dont provenaient également nos parents. C'est donc là-bas qu'il fallait le chercher. Porter le voile comme dans les pays arabes ne répondait pas forcément à une logique politico-idéologique, mais reflétait dans la plupart des cas uniquement l'envie de se sentir musulmanes. Ce n'est que progressivement que nous avons pris conscience que nous étions ici chez nous et non pas dans un pays de passage et d'accueil. Cela change notre rapport à l'islam et nous amène à développer une mode qui va nous ressembler, « à la fois française et musulmane[7] »...

D'abord l'école

Nous sommes une famille de sept filles, et j'ai été l'une des premières à vouloir porter le foulard, dès la classe de sixième. À cette époque, j'avais le sentiment qu'on me proposait une seule alternative : soit je suivais le cursus scolaire et je m'assimilais complètement aux autres enfants de ma classe, soit je me débrouillais par moi-même pour savoir d'où je venais, pour connaître la mémoire de mon histoire. D'un côté, les profs ignoraient tout de la civilisation arabo-musulmane. À l'époque, j'avais l'impression que la société voulait créer une « culture quartier », histoire d'effacer ou d'amoindrir la réalité de notre existence, et cela m'offensait profondément. Le mot « beur » était réducteur mais aussi révélateur : assimilé à l'alimentation, il aboutissait à la simplification sociale. On nous réduisait à un simple nom. De la même façon que l'on utilise les termes « ghetto noir » pour effacer les êtres humains qui le composent. Le mot « beur » nous enfermait dans un phénomène social, histoire d'oublier nos individualités particulières, histoire de diminuer l'humanité qui était en nous. On avait beau répondre « fromage », le terme n'était pas repris par les médias. En revanche « beur » était presque institutionnalisé. Et ça nous poursuit jusqu'à maintenant. Je refusais qu'on crée une « conscience banlieue ». Ça commençait à peine, à l'époque, alors que maintenant, cela s'est précisé : on nous sert Faudel, Zidane, et on nous dit : « Vous êtes ça, on aime bien ça, soyez ça ! » C'est comme SOS Racisme, je l'ai toujours rejeté. Lui, on l'appelait le « jambon-beurre ». Tout le travail était superficiel, il n'y avait rien sur l'histoire, sur le rapport colonisateur-colonisé. C'est normal, il était dedans !

De l'autre côté, je me suis mise à fréquenter une association de quartier dite culturelle, dans laquelle je suivais des cours de religion et la prière. À ce moment-là, j'avais besoin de me situer culturellement. Dans un premier temps, mon apprentissage religieux était lié à ce trou de mémoire. Là-bas, on m'a dit que le foulard était une obligation de l'islam, alors je l'ai porté. Mais il y avait parfois, avec certains profs de religion arabophones, des aspects qui ne me convenaient pas. Tout ce qui concernait les femmes était lié aux « droits et devoirs ». Il y avait des livrets de toutes les couleurs : rouge, blanc, jaune, vert... Je n'en ai jamais lu aucun. « Tu dois faire ça et tu ne dois pas faire ça... » Où est le bon sens ? Où est le raisonnement ? L'islam fait pourtant sans cesse appel à ces notions. Lorsque notre prof d'Arabie nous parlait de couper la main des voleurs, j'imaginais tous mes copains qui piquaient régulièrement des bonbons. Lorsque j'ai voulu faire une réflexion, le prof m'a tapée. Ces gens-là sont fort différents de nous, ils ont grandi en entendant cinq fois par jour l'appel à la prière, ce n'est pas rien ! C'est une autre structuration. C'est un autre monde. Moi, je ne m'intéressais pas qu'à l'islam, mais à tout ce qui touchait la colonisation, l'histoire des civilisations... Mon livre de chevet, c'était Malcolm X. *J'étudiais l'islam mais aussi toute l'histoire de l'islam. Et finalement, dans ma quête de l'Orient, j'ai rencontré l'Occident. C'était une rencontre inéluctable. Une rencontre de l'intérieur. J'étais poussée à comprendre la France.*

Et j'ai ramené en classe toutes mes interrogations révoltées :

je ne comprenais pas comment on avait pu justifier l'Algérie française, l'Indochine, et tout le reste... Je me mettais en conflit verbal avec les profs, chacun poussait l'autre dans ses retranchements à coups d'arguments... L'opposition noir-blanc me plaisait. Je suis allée au bout et, en allant au bout, j'ai vu l'impasse, la contradiction. Le prof qui était devant moi gardait des traces de sa lutte pour la libération de l'Algérie... Qu'est-ce que j'en faisais ? J'étais devant un mur. Ma dichotomie du monde s'effondrait. Par le regard de l'autre, j'étais obligée de me remettre en question. D'autant qu'eux non plus ne se privaient pas de m'en poser, des questions...

Je prenais conscience de l'interaction entre ma spiritualité et ma quête de savoir à l'école. Elles s'alimentaient l'une et l'autre de manière très riche. Je sentais que je me rapprochais de Dieu en continuant mes études, parce que mon esprit s'ouvrait et investissait des connaissances fondamentales, qui me permettaient de mieux comprendre la vie. Je sentais aussi que ma spiritualité m'accompagnait dans cette quête de savoir et de compréhension. Ma pratique de l'islam a été au croisement de cette dialectique-là. Et un jour, face à toutes les histoires judiciaires autour des foulards, j'ai eu peur de prendre des risques. La recherche du savoir était trop fondamentale pour moi. J'ai réfléchi au concept du foulard : il représentait la matérialité d'une pudeur que je portais en moi. Je pouvais continuer à l'incarner en m'habillant large. J'ai décidé de ne plus couvrir mes cheveux parce que je voulais garder ma liberté de ton avec les enseignants. Je voulais continuer notre affrontement librement, sans qu'il y ait de « parasites » entre nous. Malgré la souffrance que cela entraînait, j'ai ôté mon foulard et je l'ai assumé car cette confrontation qui me permettait de me construire était essentielle pour mon équilibre. Aujourd'hui, six ans plus tard, alors que je m'apprête à rentrer à HEC, je peux dire que c'est l'école qui a contribué à ma maturité spirituelle, et que c'est ma spiritualité qui m'a poussée à l'investissement scolaire...

Dès que j'ai fini le lycée, je me suis voilée les cheveux. Il ne m'a jamais quitté, mon foulard. Au-delà de l'identité, c'est un aboutissement pour moi. J'ai tellement réfléchi, pesé. Je me suis projetée avec lui dans mon avenir. Je l'ai intégré dans ma vie de façon sereine. Les non-musulmans m'ont permis de retravailler mon islam... Je ne peux être que contente de ce monde que Dieu a créé, composé de musulmans et de non-musulmans. Et je n'aurais pas pu parcourir ce long chemin si riche et si varié, où je me suis trouvée en rencontrant les autres...

Nasséra, 19 ans, étudiante en prépa HEC.

D.B. : Le cas de Nasséra est très intéressant. Le milieu scolaire est particulier par son caractère de stricte laïcité. Rappelons que l'école « gratuite et obligatoire » a été considérée comme un des piliers fondamentaux de la construction de la République. Le projet de Jules Ferry était d'organiser une sorte d'instruction générale, afin d'homogénéiser un minimum de savoirs quelle que soit la classe sociale. Ensuite, cette institution est devenue l'« éducation nationale », permettant le respect des croyances personnelles et la création d'un espace social commun, notamment grâce à l'enseignement de l'instruction civique et de l'histoire de France, afin de rassembler les citoyens d'une même nation.

Lorsque le foulard a fait irruption dans cet espace (à Creil, en 1989), il a été vécu comme contraire aux objectifs de cette éducation nationale. Cette question a été d'autant plus passionnelle qu'elle touchait un public de jeunes adolescents en pleine construction identitaire. Le foulard est d'abord refusé en tant qu'attribut religieux parce que l'école est un espace de liberté où l'on apprend à utiliser son esprit critique. Une des nombreuses raisons pour lesquelles il fait violence, c'est qu'on lui attribue une pensée qui ne tolère pas la différence, le dialogue, et la contradiction. Cette pensée va très loin : certains sont allés jusqu'à parler du risque d'apartheid que le port du foulard entraînerait !

Dans le contexte occidental, les relations entre la raison et la religion incarnée par le clergé ont été conflictuelles. Pour beaucoup de tenants de la version « dure » de la laïcité, le savoir est globalement conçu comme une délivrance face aux « archaïsmes » et aux « endoctrinements » butés des religieux. L'école est présentée comme libératrice, « affranchissant » les élèves de croyances religieuses qui les empêchent de réfléchir.

On est au cœur du croisement des histoires de civilisations. Dans l'histoire française, l'inconscient collectif tourne autour de l'idée que ce n'est qu'en se dégageant du religieux que la société, grâce à la raison humaine, s'est développée scientifiquement, moralement, socialement et politiquement, car l'expression du religieux par le clergé sous forme de dogme avait étouffé la raison. Dans l'inconscient collectif « musulman », l'apogée de la civilisation arabo-musulmane est liée à une période de grande piété dans laquelle, après la mort du Prophète (PSL), les musulmans devaient définir les modalités concrètes d'organisation des versets révélés dans le Coran, recourant à un travail rationnel permanent. On appelle ça l'*ijtihâd* ; littéralement cela signifie « mettre toute son énergie, faire l'effort de...* » et cela va accaparer les *oulémas* (pluriel de

* Faire *ijtihâd*, c'est proposer une lecture (par l'herméneutique) ou un avis religieux sur un sujet donné, résultat d'une réflexion personnelle, raisonnée et argumentée à la lumière des sources (Coran et Sunna) et d'un contexte spatiotemporel donné afin d'y adapter les textes.

'*alim*, savants et lettrés religieux musulmans) qui comprennent que l'islam, dans son essence même, impose cet effort de réflexion et d'adaptation. C'est-à-dire que l'application de l'islam est censée passer par un effort de réflexion personnelle : on ne peut normalement pas prendre un verset comme une solution hors de tout contexte. C'est le principe qui en découle qu'il va falloir ensuite appliquer dans d'autres lieux ou dans d'autres temps.

D'autre part, il ne faut pas oublier que le mot « Coran » vient du mot arabe *Qur'an* signifiant « lecture ». La tradition dit que la première parole de Dieu entendue par le Prophète Mohamed (PSL) a été : « Lis ! » C'est carrément un ordre : « Lis au nom de ton seigneur qui t'a créé » (Coran, 96/1). Le mot « savoir » apparaît dans des centaines de versets du Coran. D'autres incitent le musulman à la connaissance : « Telles sont les paraboles que nous exposons aux êtres humains, et seuls ceux qui sont en quête de savoir les comprennent » (Coran, 39/4). Le Prophète (PSL) a notamment déclaré cette fameuse phrase : « Il faut rechercher le savoir : depuis le berceau jusqu'à la tombe et jusqu'en Chine s'il le faut*. » Et aussi : « L'encre des savants est plus précieuse que le sang des martyrs. »

L'inconscient collectif « musulman » s'est donc construit strictement à l'envers de celui issu de l'histoire de France : la proximité avec la religion correspond à l'acquisition de connaissances mais aussi à la raison[8]...

S.K. : Contrairement à la Bible, le Coran constitue pour les musulmans la parole de Dieu elle-même, ce qui explique qu'on ne peut pas y toucher. Mais cela nous entraîne

* Les étudiants étaient poussés à apprendre le plus de matières possible auprès du plus grand nombre de maîtres, ce qui les prédisposait au voyage.

à d'autant plus d'efforts pour comprendre ce message sacré. Sa lecture oblige à recourir à la rationalité. De nombreux versets du Coran étant liés à une circonstance historique, la pratique de la religion exige une analyse continue du changement de contexte historique à travers le temps. Cela aboutit au fait que, pour nous, plus on est dans le monde, plus on est avec Dieu. Plus on est avec Dieu, plus on doit être dans le monde.

D.B. : C'est cette dimension qui a permis à l'islam de s'adapter à des pays très différents. On dit qu'il s'est superposé à la culture des pays.

S.K. : Cette superposition à la culture française est en train d'émerger. Cela nous est possible parce que nous nous sommes affranchis d'un certain rapport avec notre religion qui nous amenait à fonctionner en vase clos sans interprétation nouvelle possible. Il fallait correspondre à l'idée qu'on se faisait d'un musulman. La donnée complètement nouvelle aujourd'hui, c'est qu'au-delà de ce que nous apportent les savants, nous revisitons nos sources individuellement et nous développons une réflexion personnelle. Avant, dans nos banlieues, on avait un rapport communautaire à Dieu, alors que maintenant, on a développé un rapport personnel avec Lui. Tant qu'on se vivait uniquement comme un groupe, il était impossible de se dégager des autres pour se mettre en relation avec Lui. C'était le groupe qui définissait les choses pour ses membres. Par exemple, on utilisait le mot *kafir* « mécréant », pour désigner l'Autre, le non-musulman et, par extension, le Français. Au fur et à mesure de nos échanges avec des gens différents, il nous est apparu de plus en plus inconcevable de pouvoir les nommer ainsi. L'évolution de notre regard sur eux a également eu des effets sur notre propre définition, car en les nommant ainsi, il était incompatible de se sentir soi-même français. La citoyenneté et ce qui en découlait — l'acquisition de la nationalité française, le vote — étaient l'affaire des autres.

D.B. : L'histoire de Nasséra illustre les tâtonnements nécessaires à la superposition de l'islam à la culture française. Au nom de sa référence musulmane, l'apprentissage qu'elle peut trouver à l'école est sacré. Le premier intérêt que je vois dans son histoire est qu'elle interpelle le modèle occidental en lui rappelant qu'il peut exister d'autres conceptions. Son témoignage met en valeur le mouvement simultané du développement de sa spiritualité et de sa soif de connaissances. Il n'y a pour elle, non seulement aucune contradiction entre raison et religion, mais au contraire une interaction constante, une ouverture permanente de l'une sur l'autre. Sa religion l'encourage à l'usage de la raison. La raison lui permet de mieux comprendre sa religion. Nasséra estime que l'islam lui impose l'acquisition du savoir. Elle place cette obligation d'acquérir des connaissances au même niveau que sa foi : l'acquisition du savoir est constitutive de la foi. Comme le foulard devient un obstacle, elle décide de le mettre de côté justement pour pouvoir accéder à la connaissance.

Le foulard peut paradoxalement desservir l'islam en évitant les vrais débats de fond sur la question de la reconnaissance de l'apport de la civilisation arabo-musulmane. Il parasite l'attention sur lui, cristallise les réactions sur la question du port des insignes religieux, du communautarisme, au risque d'empêcher un véritable échange sur la relation islam-Occident. Cette focalisation a pour autre conséquence que certaines jeunes filles endossent cette tenue comme un « kit identitaire », au lieu d'affronter leur ignorance et de déconstruire leurs propres représentations : elles ont ainsi le sentiment d'avoir renoué avec leur mémoire, sans pour autant avoir élaboré quoi que ce soit dans ce sens. Dans ce cas, l'apparat permet de faire l'économie d'un travail de fond.

Nasséra ne tombe pas dans ce piège. Elle enlève son foulard parce qu'elle perçoit bien qu'il ramène les termes du débat à un registre strictement religieux et qu'il la place dans une position prédéfinie. C'est pour être dans une libre confrontation avec ses enseignants qu'elle l'ôte, pour retrouver une relation authentique, d'individu à individu, d'élève à professeur.

S.K. : Justement, ce qui n'est pas normal, c'est qu'elle ait dû l'enlever pour garder une relation authentique. Les bases sont minées ici. Pour qu'il y ait authenticité, il faut que chacun puisse lui-même se définir. Sinon, on ne laisse pas place à un vrai débat. Il est forcément biaisé : on cautionne les a-priori des uns vis-à-vis des autres. À partir du moment où l'on impose à l'autre une façon d'être, on ne lui demande pas d'être lui-même, on lui demande d'être présentable. Or le comportement de Nasséra ne heurtait en rien la laïcité. Bien au contraire, elle profite de tout ce que l'école peut lui apporter : échange et confrontation d'idées, argumentation, remise en cause, esprit critique... Elle le fait même mieux que d'autres qui ne sont pas voilées et qui, pourtant, ne profitent pas autant de toute la diversité des richesses que l'école permet de découvrir. À travers Nasséra, les enseignants auraient justement dû reconsidérer leurs représentations.

Au-delà de la question de la laïcité, il y a quelque chose de plus insidieux que l'on cherche à entretenir sur la place de l'islam et des musulmans dans la société française. C'est aussi virulent à l'école parce que c'est justement le lieu d'éducation d'« unité nationale », comme tu le rappelais à juste titre tout à l'heure. L'objectif est de souder des citoyens d'une même nation autour d'une histoire commune. Or, on continue à raconter l'histoire de France comme si l'islam lui était complètement étranger. Silence sur l'apport de la civilisation arabo-musulmane au siècle des Lumières* dans les manuels scolaires. Silence sur le sacrifice de nos arrière-grands-parents pour défendre la France ! Silence sur les colonisations ! Or nous sommes cinq millions de Français de confession musulmane à attendre aux portes de l'histoire de France.

D.B. : Pour améliorer la situation, la réécriture des manuels scolaire est incontournable et déterminante. C'est dommage, malgré l'apport manifeste du rapport de Régis Debray[9] sur l'enseignement du fait religieux dans les écoles, que cela ne soit pas d'actualité.

Cela étant dit, la reconnaissance de l'islam ne doit pas aboutir à des demandes de particularisme. Je pense à la question de la piscine. Les jeunes filles voilées refusent de se mettre en maillot de bain devant des garçons. L'école ne saurait accepter un engrenage qui pourrait rapidement aboutir à une coexistence de petites communautés ! Autant la revendication de manger de la viande cacher** et halal***

---

* L'âge d'or de la science arabe s'est étendu, à l'époque abbasside, du milieu du VIIIe siècle jusqu'au XIIIe siècle. Il gagnera l'Espagne musulmane où, à partir de la reconquête chrétienne et de la prise de Tolède en 1086, il aura une influence considérable sur l'Occident. De nombreux textes arabes seront traduits en latin par des moines, déjà à l'époque de la chrétienté médiévale.

** Rite juif.

*** Rite musulman.

me semble complètement légitime, au même titre que le « poisson chrétien » du vendredi, puisque cela n'empêche pas de manger tous ensemble — cela fait partie, à mes yeux, des droits fondamentaux de la liberté de pratique de la religion et constitue un signe de reconnaissance de la présence et de l'installation des musulmans —, autant on ne peut accepter des particularismes qui séparent les jeunes les uns des autres. Tu affirmes que le foulard n'est pas pour toi un obstacle relationnel, tant mieux. C'est uniquement à ce prix qu'il peut être accepté, tel que l'a d'ailleurs défini le Conseil d'État.

Mais en ce qui concerne la piscine, le service public ne peut accepter d'être à l'usage exclusif d'une seule catégorie de personnes. Aucun éducateur digne de ce nom ne peut être d'accord avec l'idée de séparer des jeunes en voie de construction, pour des besoins spécifiques. Il est au contraire indispensable de mettre en valeur ce qu'il y a de commun entre les êtres humains, au-delà de leurs différences[10]. Tous les projets pédagogiques réussis tournent autour de ce concept : construire des conditions pour que les jeunes fassent les choses *ensemble*, transpirent *ensemble*, construisent *ensemble*... C'est d'autant plus vital dans une société moderne que, justement, les liens sociaux ne se construisent plus automatiquement comme dans les sociétés traditionnelles, où l'appartenance à un groupe, à un village, à une religion déterminait la place, le rôle de chacun. Aujourd'hui, chaque individu est libre de déterminer ses liens. Mais le revers de la médaille, c'est qu'il n'arrive pas à en tisser : pendant longtemps, le travail a favorisé de nouveaux types de relations entre les individus, malgré leurs différences. Les ouvriers étaient d'abord des ouvriers, et ensuite des Portugais, des Français, des Polonais, des Arabes... Peu leur importait que certains d'entre eux préfèrent l'harissa au jambon dans leur sandwich ! Le projet de notre société en crise envahie par le chômage — notamment celui des jeunes — doit favoriser sans exception la création de liens entre tous, et cela commence par l'école. On se bat assez contre les écoles-ghettos qui ne reçoivent plus que les enfants de chômeurs des HLM du coin. Il ne manquerait plus qu'à l'intérieur des écoles-ghettos, on crée encore des séparations !

S.K. : Il est indispensable d'aborder la construction de la République par l'intermédiaire d'un espace commun dans lequel on se retrouve autour d'idées fondamentales. Une nation se construit sur des idées fortes, la cohésion nationale en dépend. Ce principe de base n'est pas à remettre en cause. Seulement, il ne faut pas oublier qu'une nation est faite d'individus, qu'elle ne doit pas broyer au passage. Sans remettre en cause le principe de cours mixtes à la piscine, il s'agit donc de trouver une solution pour les musulmanes qui en souffrent trop. Les cours de natation arrivent en plein dans l'âge critique de l'adolescence, et bon nombre de jeunes filles s'en font dispenser sous un prétexte quelconque, parce cela leur est insupportable. Tant qu'elles ne sont pas repérées comme musulmanes, ça passe, on est conciliant, car on sait combien cela peut être perturbant en cette période de construction psychologique si fragile de montrer son corps au « sexe opposé », d'autant plus en étant condamné à côtoyer ensuite ce groupe de garçons toute l'année. Mais si les jeunes filles sont repérées comme musulmanes — par exemple parce qu'elles portent le foulard —, tout se rigidifie et elles risquent l'exclusion. À mes yeux, pour résoudre ce problème, il suffit d'appliquer aux filles musulmanes le même traitement qu'aux autres : reconnaître l'attestation d'un médecin ou d'un psychologue lorsqu'il estime que cette situation provoque une réelle souffrance psychologique dans leur construction identitaire. Est-on prêt à comprendre pour les adolescentes musulmanes ce que l'on accepte pour les autres ?

D.B. : Il s'agirait de sortir du terrain laïco-religieux pour revenir au droit commun. Ce que tu proposes revient à définir les critères de tolérance des absences des jeunes filles selon la définition donnée par l'Organisation mondiale de la santé — bien-être physique et psychologique — dans lequel le religieux n'a rien à voir. Toutes les élèves auraient les mêmes droits — ou plutôt bénéficieraient des mêmes excuses — quelle que soit la raison qui les amène à manquer les cours de natation. Tu ramènes le débat sur le plan du droit commun. Tu voudrais que les motifs liés à l'islam puissent être considérés de droit commun, comme les autres.

Sur la question des exclusions, à l'heure actuelle, le problème est censé être réglé puisque le Conseil d'État a estimé, dans son avis de novembre 1989, que « le port d'un signe distinctif d'appartenance religieuse n'est pas incompatible avec la laïcité », tant qu'il ne revêt pas de caractère ostentatoire ou revendicatif. La laïcité se présente ainsi plus comme le respect des convictions intimes des uns et des autres que comme leur éradication. Ce qui importe, c'est que l'espace scolaire et les enseignants témoignent d'une absolue neutralité afin de n'influencer personne.

S.K. : Dans la pratique, rien n'est résolu. C'est même pire, parce c'est insidieux. Les filles voilées sont renvoyées, non plus à cause de leur voile — puisque le Conseil d'État l'a interdit —, mais pour des faux prétextes : absentéisme, mauvais comportement, délinquance, manque de respect aux enseignants... On s'évertue à sanctionner la jeune fille pour des motifs fallacieux, pour l'amener à être exclue provisoirement et finir par l'exclure définitivement. Ce sera l'élève refusée en cours d'éducation physique et sportive, bien que son petit bandana noué à l'arrière soit assorti à son survêtement et à ses baskets. Elle recevra un courrier dans lequel on mentionnera : « refus d'appliquer le règlement intérieur », accompagné d'une exclusion de trois jours. Cette opération sera répétée plusieurs fois, jusqu'à la convocation au conseil de discipline. Elle sera donc renvoyée pour un motif valable : l'absentéisme au cours d'éducation physique et sportive, alors qu'elle en a été exclue !

Depuis le 11 septembre, cela s'est encore rigidifié : des dossiers d'inscription disparaissent, des principaux prétendent que les filles ne se sont jamais inscrites, qu'elles sont venues alors que la date était dépassée... Alors que le droit de l'enfant à l'instruction est bien réglementé (l'absence totale d'instruction peut être punie de deux ans d'emprisonnement), alors que l'admission d'un élève de moins de 16 ans au Centre national d'études à distance (CNED) est soumise à l'aval de l'inspecteur d'académie, les seuls motifs reconnus étant normalement la maladie et les voyages fréquents à l'étranger, on rencontre encore de manière régulière des refus de chefs d'établissement d'inscrire une élève en raison de son voile. En tout, au niveau national, il y a eu plus d'une centaine d'exclusions. Cette année, à Lyon, onze filles de 12 à 16 ans se sont adressées à nous pour continuer leur scolarité. L'une d'elles, que nous avons aidée dans sa procédure judiciaire, ne s'est pas vu proposer de réaffectation parce que pendant l'instruction du dossier, elle a fêté ses 16 ans ! Alors qu'on attendait de l'inspection académique la dénonciation de ce contournement de la loi, elle se contente d'expliquer aux parents qu'ils doivent s'estimer heureux de pouvoir inscrire leurs enfants au CNED !

Les familles qui prennent contact avec nous sont soucieuses de l'avenir de leurs filles. Mais d'autres fois, les exclusions de l'Éducation nationale entraînent des conséquences perverses. Ici ou là quelques parents se mettent à voiler leurs filles dans l'espoir qu'elles soient renvoyées du collège ou du lycée, de façon à les marier rapidement sans que ces dernières puissent évoquer la fin de leurs études pour gagner du temps, et surtout de l'indépendance ! Pire encore, certaines jeunes filles voulant arrêter l'école se voilent dans l'espoir de se faire renvoyer ! C'est facile pour nous de le vérifier, étant donné que notre principale action consiste à organiser leur rescolarisation au sein de notre association, avec des enseignants qui se portent volontaires pour assurer les cours bénévolement. Ces filles-là nous le disent carrément : « Ça ne nous intéresse pas de finir notre année ! On en avait ras le bol de l'école ! » Ce qui permet ce type de situation, c'est que la déscolarisation d'une jeune fille voilée n'interpelle ni l'inspection académique, ni les proviseurs, ni les acteurs sociaux. Personne n'avertit le procureur de la République comme dans tous les autres cas de figure d'absentéisme des moins de 16 ans !

Soyons clairs, le devenir de ces jeunes filles n'est pas un grand souci. Une société qui est si à cheval sur l'équité fabrique une nouvelle forme de précarisation féminine. On est en droit de s'interroger sur l'intérêt que l'on porte à certains enfants.

La religion contre les traditions

Dans ma famille, il n'y avait de place que pour les hommes. L'homme, avec un petit « h ». C'est-à-dire l'homme normalement constitué : mon père, mes frères... Ils avaient le titre, ou le sous-titre. L'homme qui domine, l'homme qui a tous les pouvoirs, c'est un dictateur en fait. Il a posé son idéologie, sa façon de penser, les autres n'avaient pas le droit de vivre, ils devaient se soumettre à son image, et n'être que le produit de sa personne, rien d'autre. On était des fantômes, ou bien des... ombres du père. Ma mère, quant à elle, n'était même pas une ombre. Elle n'avait même pas le privilège d'être une ombre. Ma mère, elle était là sans être là. Le droit de ne rien dire, juste de faire. Faire le repas, faire des enfants, accoucher des enfants, s'occuper des enfants, faire à manger aux enfants, tout bêtement. C'est bête. Une figurante. Un passage, comme ça... Un petit rôle, tout petit... Et encore, si on peut dire que c'est un rôle. Elle savait que ce n'était pas juste et pourtant elle se soumettait, et elle s'est toujours soumise. Par moments, il y avait des explosions, des volcans. J'adorais ça parce qu'elle vivait enfin. Elle était présente. Elle n'était plus figurante. J'adorais, mais c'était rare. Des moments où, vraiment, la figurante accumulait beaucoup trop, elle voulait exploser. Mais je lui en ai toujours voulu parce que, un gosse, ça lui manque de ne pas avoir quelqu'un en face de lui. De subir un dictateur sans espoir de rébellion, même pas de petite révolution à côté... C'est bête parce qu'on est passé à côté de beaucoup de choses... Il n'y avait pas cet appui, il n'y avait pas cette présence, il n'y avait pas cette voix qui vient vous parler, qui vous réchauffe le cœur. Il n'y avait rien... On ne pouvait même pas se dire : « Oui, ma mère disait... » Comme on peut rigoler des bêtises que disent nos parents, de leur façon de penser... Tout était pour mes frères. Sorties, argent, indépendance, liberté, confiance... Nous, les filles, mon père voulait nous réduire au même état que notre mère.

C'est à 16 ans que j'ai rencontré l'islam. Mais pas celui de mon père. Cet islam-là, c'est ma cousine qui m'en a parlé. Elle fréquentait une association qui éditait des livres musulmans en français. On aurait dit des propos révolutionnaires ! C'était presque tout le contraire de ce que mon père nous avait appris : une femme avait non seulement le droit mais le devoir de faire de longues études pour remplir son rôle au sein de la société ; elle pouvait choisir l'homme qu'elle aimait, et en prime de n'importe quelle origine du moment qu'il était musulman ; le père n'avait pas le droit de discriminer sa fille par rapport à son garçon. Il y avait toute une liste comme ça qui disait tout le contraire de ce qu'on m'avait inculqué ! J'étais éberluée... J'ai passé un été enfermée dans ma chambre à tout apprendre par cœur. Je remerciais Dieu entre deux pages. Je pouvais vivre ma vie sans tout renier... C'était un vrai soulagement. Après tout est allé très vite. Je suis partie à la petite mosquée du quartier de ma cousine de plus en plus souvent. On y faisait un tas de trucs et les garçons étaient comme dans les livres. Je crois qu'avant, j'avais honte d'être arabe... Dieu m'a redonné goût à la vie. Et la force ! Il m'a libérée de mon père, de mes frères, et de ma honte ! À la maison, je ne me laissais plus faire. Je revendiquais mes droits, avec respect mais avec fermeté. Mon père accusait la mosquée de me monter la tête : « Ils veulent te faire travailler gratuitement pour les petits ! » Mais moi, je savais bien ce qui le dérangeait. J'avais compris que maman avait été naïve. Je lui disais : « Maman, tu t'es fait avoir. » Rien ne l'empêchait de sortir. Et je ne me privais pas de le lui dire. Cela rendait fou de rage mon père ! Que j'ose l'affronter ! C'est vrai que jusque-là, je faisais comme ma mère, parce que lorsque je protestais, il me toisait : « Ça y est, voilà Marie-Cécile qui recommence... » Je ne supportais pas qu'il me traite de « sale Française ». Alors pour rester arabe, moi aussi je me laissais faire.

Ce qui m'a le plus questionnée dans cette histoire, ç'a été la réaction des Français. Je n'ai jamais voulu porter le foulard, mais à l'école, il y a eu des problèmes parce que j'ai voulu manger halal. Je voulais faire plaisir à Dieu et je ne comprenais pas qu'on m'en empêche. J'ai fait une petite grève de la faim. Moi qui étais si sage et si douée, les profs ne comprenaient pas que je m'impose soudainement ainsi. Mon père leur a expliqué que je m'opposais aussi à lui à la maison. Ils se sont ralliés à l'idée que j'étais endoctrinée. Pourtant ils savaient que mon père était dur. Souvent, ils m'avaient conseillé de demander l'aide d'une assistante sociale, pour partir. Ils avaient passé trois ans à me convaincre de mon plein droit à poursuivre mes études. Et maintenant que je me décidais à les faire valoir, mes fameux droits, à me révolter, c'est eux qui me lâchaient ! Non seulement ils me lâchaient, mais ils s'affiliaient avec mon père, qui était devenu leur complice ! Ils se sont tous réconciliés sur mon dos... Mais Dieu est grand... Certains profs étaient trop contents, vu les notes que j'avais, de me voir continuer mes études. Ils m'ont aidée à poursuivre et j'ai obtenu mon bac avec succès.

Souhila, 26 ans, éducatrice.

D.B. : Le cas de Souhila m'est familier. Il correspond au cheminement dont j'ai déjà parlé dans *L'Islam des banlieues*[11] : un certain nombre de jeunes, le plus souvent issus de familles victimes de l'exclusion et de la discrimination, mettent en avant leurs références musulmanes pour combattre la crispation parentale et la crispation sociétale au milieu desquelles ils vivent. Car, d'une part, leurs parents ont souvent développé une accentuation identitaire, face à l'insécurité, l'insertion économique révélée difficile, bref un projet migratoire qu'ils vivent comme un échec. La fidélité aux traditions du pays d'origine* devient alors le

* On ne rencontre jamais des cultures mais des êtres humains qui se sont construit une culture plurielle et mouvante, elle-même élaborée à partir de plusieurs microcultures en constante interaction... Cela dit, si l'on doit présenter succinctement les bases de la société traditionnelle maghrébine, on peut parler d'un système patrilinéaire (transmission de père en fils) et endogame (le conjoint est choisi à l'intérieur du clan), alors que la plupart des sociétés sont patrilinéaires mais exogames. Cette organisation renforce la dimension clanique — puisque les familles proches peuvent unir leurs richesses en passant par l'alliance des cousins germains — et a des conséquences directes sur le fonctionnement social.

Ce dernier s'est organisé autrefois autour d'une dichotomie entre deux univers séparés : celui des hommes (domaine de l'extérieur) et celui des femmes (domaine de l'intérieur), qui avaient chacun des tâches, des fonctions et des espaces bien déterminés. Alors qu'une société moderne met l'accent sur des normes valorisantes d'autonomie de la personne, en termes de connaissances, de valeurs, de comportements (acquérir une compétence professionnelle, gagner sa vie pour être autonome, vivre indépendant des parents, trouver d'abord en soi les ressources pour satisfaire ses besoins, préserver son intimité, avoir son libre choix...), une société traditionnelle n'accepte ni décision ni choix de conditions personnelles de l'existence : les hommes et les femmes y naissent avec des fonctions sociales préconstituées auxquelles ils doivent s'adapter. Cette dichotomie entre les hommes et les femmes produit des inégalités criantes entre eux. À cette époque, la place et le pouvoir d'une femme passent par ses fils, étant bien entendu que le mariage de ces derniers ne les éloigne pas de leur mère mais au contraire les en rapproche encore, puisque la belle-fille fait dorénavant partie du clan de la belle-mère. La femme n'est reconnue que lorsqu'elle devient mère, qui principe unique de filiation, ce qui aboutit à enfermer moralement le jeune. D'autre part, la société, quant à elle, en pensant son concept d'intégration en termes d'assimilation, se révèle tout aussi rigide que les parents, demandant toujours plus à ces jeunes pour qu'ils « prouvent » leur francité, les plaçant ainsi dans une dette perpétuelle...

Ces derniers vont donc chercher la possibilité de faire le lien entre ces deux mondes auxquels ils appartiennent : en « rentrant dans l'islam », le jeune appartient dorénavant à la *Oumma**, la communauté des croyants du monde entier au-delà des frontières, qui le lie symboliquement à tous les autres musulmans de toutes les origines. Il s'agit dans ce cas de figure d'une notion strictement religieuse, qui permet — grâce à sa dimension universelle — de « désethniciser l'islam » : il n'y a plus besoin d'être algérien ou marocain pour être musulman. On peut se concevoir français et musulman. C'est paradoxalement le passage par

---

plus est d'un garçon, puisque le mariage de ce dernier va agrandir le groupe des femmes qui va travailler « sous les ordres » de cette belle-mère.

Des privilèges dans l'éducation du garçon en découlent directement ; son traitement d'« enfant-roi » se traduit dans tous les domaines : relation fusionnelle nuit et jour avec la mère, sevrage tardif, soins corporels et jeux d'éveil développés, etc. Les petites filles, au contraire, doivent être préparées à plaire à leur future belle-mère, et surtout à lui obéir. L'éducation à la soumission féminine est autant destinée au mari qu'à la belle-mère !

* Réduction de *al-Oumma al-Islamiya*, la communauté des croyants. Le Coran parle de « communauté de Dieu », d'Allah *(Oummat Allah)*. La communauté de l'islam (croyants musulmans) naît au moment de l'émigration du Prophète Muhammad (hégire) ; cette communauté islamique se définit par le fait qu'elle est « une », celle du « juste milieu, éloigné des extrêmes » (Coran, 2/143). Elle se définit aussi par d'autres critères : appeler les humains au Bien (Coran, 3/104), suivre les traces du Prophète *(Sunna)*, pratiquer la consultation *(Shoura)* et respecter en obéissant « à Dieu, au Prophète et à ceux qui détiennent l'autorité » (Coran, 4/59).

l'islam qui leur permet alors de s'inscrire sur le territoire français en tant que français.

Ne doit pas être confondue la même notion de *Oumma* lorsqu'elle est utilisée dans le sens inverse par des groupes politiques se servant de l'islam pour empêcher au contraire les jeunes de se reconnaître dans un État, quel qu'il soit. Cette « *Oumma* politique » est présentée comme une force internationale supérieure incompatible avec toute appartenance nationale.

Cette possibilité de « délocaliser l'islam » en lui donnant une dimension universelle sur le plan géographique est fondamentale : elle permet la recomposition d'une inscription généalogique au-delà de l'attachement et de la fidélité au pays d'origine. Désormais, le lien parental peut se différencier du lien à l'Algérie, au Maroc... L'islam apparaît comme un nouveau lien généalogique. Son aspect non ethnique, transnational, donne une occasion à ces enfants de garder une composante commune familiale et historique tout en assumant pleinement leur propre vie dans le pays où ils sont nés, leur évitant ainsi de tomber dans les travers du « moi éclaté [12] ». En se déterminant « à la fois français et musulmans », l'appartenance nationale ne s'oppose plus à ce qui symbolise l'attachement et la fidélité aux parents.

S.K. : L'idée de double culture est bien loin de nous. Nous nous sentons et nous nous revendiquons de culture française.

D.B. : Cette recomposition de liens à partir de la religion et non plus à partir du respect de traditions est — contrairement à ce qu'on pourrait penser — beaucoup plus souple. Elle permet l'ouverture de débats jamais abordés jusqu'alors, qui remettent forcément en cause les comportements traditionnels. Par l'intermédiaire de l'islam, les jeunes tentent de sortir d'un enfermement culturel sans trahison du groupe large. Les connaissances islamiques acquises vont leur servir d'outils pour établir les bases d'un dialogue familial. Il s'agit d'insuffler le changement au sein même de leur famille, en démontrant à leurs parents que la plupart de leurs croyances relèvent des traditions et non de la religion. Ainsi, de façon paradoxale, la religion permet à ces jeunes d'exprimer des revendications nouvelles, de remettre en cause des schémas ancestraux que personne n'osait jusque-là attaquer de peur d'être accusé d'occidentalisation... Cela donne effectivement, comme l'a dit Souhila : « Tu t'es fait avoir maman, il n'y a pas marqué ça dans le Coran ! » Et son père ne peut plus la traiter de « Marie-Cécile » comme avant, puisqu'elle évoque le Coran !

S.K. : Les filles remettent en cause tous les préceptes qui ont servi à les discriminer pendant des années. « La recherche du savoir est un devoir pour tout musulman et pour toute musulmane » : ce hadith leur permet de faire passer leurs études avant le mariage. Elles rappellent que le Prophète (PSL) a posé l'obligation du consentement de la femme pour valider le mariage, aux parents qui envisagent le proche cousin... Elles revendiquent de pouvoir choisir un mari de n'importe quelle origine pourvu qu'il soit musulman, rompant ainsi avec la tradition de se marier entre Marocains, entre Algériens, voire entre gens du même village... Introduire dans la famille un Africain noir ou un descendant de « Gaulois » ne peut plus être pris pour une trahison... Même la forme du mariage est revue : se changer sept fois pour montrer ses richesses ne correspond plus à leur choix de vie. La dot exorbitante que certains pères avaient pris l'habitude de demander est également remise en cause. Elles refusent que leur valeur soit symbolisée par de l'argent. On peut continuer longtemps la liste...

D.B. : Ainsi l'islam devient, pour les filles subissant ce type de discriminations, le moyen de faire valoir des droits et une reconnaissance qui n'existent pas toujours dans les cultures d'origine, ou dont la forme ancienne n'est plus adaptée à leur nouveau mode de vie. La nouveauté apportée par ce passage via l'islam réside dans la perspective de confrontation avec leurs parents. Enfin elles peuvent s'opposer à des injustices sans être traitées de mécréantes, d'Occidentales ! Jusque-là, leur choix était limité : soit elles se soumettaient aux valeurs traditionnelles pour rester fidèles à leur lignée, soit elles revendiquaient leurs droits en rompant avec leur lignée. Aux yeux de tous, elles choisissaient le camp du progrès, de la modernité, et donc de l'Occident. Combien de filles ai-je connu dans ma vie d'éducatrice, qui avaient intégré l'idée d'un monde composé de deux pôles bien séparés : d'un côté, l'Occident, avec des droits, le progrès, la modernité, et de l'autre, l'Islam, sans droits pour elles, lié à l'archaïsme. La soumission ou la rupture, voilà en quoi leur choix de vie consistait. Cette époque est révolue : les filles provoquent des débats avec leur père et leurs frères, se révoltent, d'abord en tant que musulmanes ! Elles n'hésitent pas à s'adresser à leurs parents en pointant directement leurs dysfonctionnements, désamorçant les arguments culturels et/ou religieux qu'ils avancent pour résister au changement. C'est au nom de l'islam qu'elles ne se soumettent plus, et les parents ne le vivent plus comme un déni de leur origine... Il reste quelque chose de commun entre eux, même si les idées et les arguments s'entrechoquent...

S.K. : On assiste pourtant là encore à un paradoxe d'envergure : pendant des années, tout le monde était indifférent aux ruptures familiales dont tu parles. La fille qui claquait la porte de chez elle pour aller chercher sa liberté était plutôt bien vue : une fille courageuse, moderne et intégrée ! Elle faisait preuve d'autonomie. On la considérait presque comme un prototype de l'intégration. En revanche, actuellement, les jeunes filles qui s'affrontent à leurs parents en restant chez elles ne sont soutenues par personne ! Pire, comme l'exprime si justement Souhila, ceux-là mêmes qui la poussaient à se révolter contre son père vont faire alliance avec lui ! Tout ça pour quoi ? Parce qu'elle passe par l'islam pour revendiquer ses droits. C'est ahurissant ! La médiatrice de l'Éducation nationale explique partout que ces filles veulent en fait se soustraire à l'autorité de leurs parents. Mais bien sûr que, pour ce qui concerne ces cas particuliers, elles veulent se soustraire à l'autorité de leurs parents ! Du moins pour les injustices qu'elles subissent ! Depuis quand la patrie des Droits de l'homme incite-t-elle les femmes à se soumettre aux mariages forcés, à l'arrêt des études, à l'excision pour certaines ? Cela fait des années qu'on nous incite à adopter des valeurs modernes. Mais le fait que l'on passe par l'islam pour les revendiquer est insupportable ! Ce qui fait violence, c'est qu'on ne prenne pas le chemin tracé pour nous : en caricaturant un peu, on a le droit de refuser l'excision à condition de renier l'islam.

D.B. : Je te rejoins sur ce sujet. En tant qu'éducatrice, je sais à quel point tous les adolescents doivent faire des choix à l'extérieur de leur famille, y compris les enfants de migrants. On ne va pas les priver d'un conflit de générations. Sur le plan éducatif, c'est justement un des points positifs que je vois dans ce processus de renouement avec l'islam : les jeunes — filles et garçons d'ailleurs — peuvent enfin vivre leur conflit de générations. Et dans la structuration d'un adolescent, l'importance de la confrontation positive avec la génération précédente permet de se mesurer et de grandir. Et c'est comme ça que le monde avance.

S.K. : C'est vrai que tous les parents n'apprécient pas toujours cette mini-révolution au sein de la famille ! Lorsque leur fille a commencé à parler d'islam, certains étaient soulagés qu'elle devienne « raisonnable ». Ils s'attendaient à ce qu'elle intègre leurs valeurs. Ils étaient loin de penser qu'elle allait tout bouleverser et devenir encore plus revendicatrice qu'avant... Le combat des femmes de confession musulmane qui revendiquent la modernité à partir de leur islam vient bousculer les mentalités parce qu'il entraîne une remise en question profonde des représentations sur l'islam, tant du côté de certains musulmans que du côté des institutions françaises.

D.B. : Mais cette distinction entre religion et traditions ne doit pas conduire non plus à une « désaffiliation » des jeunes vis-à-vis de leurs parents. Les cultures des pays d'origine ont des aspects très riches, qu'il serait criminel de gommer. C'est une partie du patrimoine de l'humanité qu'il faut continuer à développer. Certains accusent des conférenciers musulmans — comme Tariq Ramadan* — de déraciner les jeunes de la culture populaire de leur famille, dans une perspective de leur insuffler une idéologie plus ou moins totalitaire...

---

* Professeur de philosophie à Genève et islamologue, Tariq Ramadan est un conférencier très apprécié des jeunes.

S.K. : Ce type de conférenciers nous a aidés à distinguer ce qui relève de la culture de ce qui relève de la religion. Comme tu l'as développé toi-même, la modernité consiste à remettre en question des traditions ancestrales. Le premier paramètre qui nous a poussés vers cette réflexion, c'est d'abord notre contact avec la société moderne. Ensuite, la réflexion musulmane qui s'est élaborée avec ces conférenciers nous a conduits à plus de compréhension et de respect envers nos parents : non seulement nous n'avons pas renié nos familles, mais, au contraire, nous avons alors mieux compris les valeurs qui sous-tendaient leurs positions. Appréhender le comportement de nos parents nous a permis de mieux les aimer. Et, de toutes façons, nous avons gardé quantité de valeurs fondamentales de notre patrimoine culturel familial.

D.B. : Ce travail de réappropriation de l'islam aboutit à une identification et à une promotion de valeurs communes entre la civilisation arabo-musulmane et la civilisation occidentale. J'ai déjà mis en évidence dans *L'Islam des banlieues* comment justement certains de ces conférenciers musulmans qui ont du succès expliquent que la philosophie des Droits de l'homme se retrouve dans l'islam, permettant ainsi aux jeunes Français musulmans de se construire avec toutes leurs références sans avoir de choix à faire. Par exemple, on va rencontrer des jeunes filles qui revendiquent de longues études et refusent un mariage précoce au nom de valeurs universelles qui se trouvent tant dans la Déclaration des droits de l'homme que dans l'islam.

Il me semblait important de s'arrêter sur l'exemple de Souhila parce que, bien qu'il ne soulève pas la question du foulard — toutes celles pour qui la religion a pris une grande place ne se voilent pas pour autant —, il est significatif de la démarche d'un grand nombre de filles. Les intervenants sociaux vivent l'attachement des jeunes à la religion comme un retour aux valeurs des parents, une fidélité aux traditions, donc quelque chose qui les retient en arrière, qui les empêche plus ou moins de s'intégrer. Dans le meilleur des cas, ils perçoivent la composante musulmane des jeunes comme une partie de leur « multiculture », ce qui ne correspond pas à ce que vivent de nombreux jeunes de l'intérieur : Souhila est au contraire passée par l'islam pour accéder à la modernité et faire évoluer les valeurs qui régissent ses rapports familiaux. On peut se demander si l'institution scolaire n'a pas — malgré l'absence de foulard — ignoré et entravé sa quête d'autonomie parallèle à sa démarche spirituelle en se cristallisant sur sa revendication de consommer de la viande halal.

Enfermée dans son voile noir comme dans une bulle

J'ai grandi dans un quartier sympa. On n'était que des gosses d'immigrés de différents bleds, mais nos parents s'entraidaient les uns les autres. À l'intérieur de l'immeuble, il y avait quelques Français de souche. Mais ils étaient encore plus abîmés que nous. Je crois que quand ils n'arrivent pas à partir de ce type de banlieues, c'est qu'ils ont vraiment la « totale » de problèmes. Vanessa en faisait partie. On l'appelait « la garçonne ». Elle était révoltée contre tout. À vif... Son père était alcoolique et sa mère se débrouillait comme elle pouvait pour faire survivre ses quatre enfants. Vanessa était au milieu, à la mauvaise place. En fait, elle n'avait pas de place. Personne ne s'occupait d'elle, et elle ne s'occupait de personne. Sa grande sœur surveillait les petits, mais Vanessa, elle, était trop grande pour être surveillée et trop petite pour surveiller les autres. C'était un électron libre. Nous qui étions tenues chez nous, on l'enviait un peu. Mais avec le recul, je me dis qu'elle devait être très malheureuse, livrée à elle-même. Déjà à l'époque, elle recherchait toujours la compagnie d'un groupe. C'est la rue qui l'a élevée.

Arrivées à notre majorité, nous nous sommes un peu dispersées. Certaines se sont mariées, d'autres sont parties faire des études ou bosser dans les villes avoisinantes... On se croisait *de plus en plus rarement, tard le soir, harassées par la fatigue de la journée. C'est à cette époque que j'ai peu à peu perdu de vue Vanessa. Et lorsque je l'ai retrouvée, elle était complètement transformée. D'elle, il ne restait plus que les yeux ! Elle avait troqué son survêt Nike contre un grand voile noir qui descendait jusqu'aux pieds et qui lui prenait même le visage ! C'est vrai que plusieurs groupes s'étaient installés progressivement dans le quartier. On avait vu de longues barbes pousser et des filles s'envelopper dans un* niqab*. *Certains barbus guettaient les groupes de jeunes pour leur faire la morale, qui d'ailleurs les envoyaient promener. Les femmes n'hésitaient pas à faire du porte-à-porte pour nous convaincre de nous voiler. Mes parents avaient été fermes avec eux et ils n'ont jamais osé revenir chez nous. Mais ils constituaient une toute petite minorité. On ne se sentait aucun lien avec eux, un peu comme si c'étaient des étrangers, malgré le fait que la plupart aient grandi avec nous.*

Vanessa était dans cet état-là. On aurait dit qu'elle était tombée dans une secte. Plus moyen d'avoir une discussion normale avec elle. Dans une seule phrase, il n'y avait de place que pour Bismillah *(Au nom de Dieu),* Inchallah *(Si Dieu veut),* Hamdoullah *(Louange à Dieu),* Hamdoulillah... *Son seul sujet de conversation concernait le Prophète. Elle me disait à quel point je ne connaissais rien, en fait, à ma religion. Que je n'avais pas assez d'amour ni pour Dieu ni pour son messager... Plusieurs fois, j'ai essayé de discuter avec elle, mais le seul sujet qu'il était encore possible d'aborder, c'était Dieu. Même là, elle ne s'adressait à moi que par l'intermédiaire d'un verset ou d'un hadith. La logique n'avait plus sa place. Un jour où nous étions en désaccord sur une interprétation, elle m'a carrément traitée de mécréante ! J'étais profon-*

* Grand voile qui couvre le visage jusqu'au nez.

dément touchée et inquiète. Elle qui se révoltait lorsque ses parents lui demandaient de mettre la table, voilà qu'elle prônait l'enfermement des femmes à la maison. Son seul projet personnel était de mettre au monde le plus d'enfants possible, pour renforcer le nombre de musulmans sur terre ! Son seul projet social consistait à partir vivre en terre musulmane ! J'ai ensuite appris qu'elle avait coupé avec toute sa famille et ça m'a rendue malade... Une fois, je l'ai carrément accompagnée dans une halaquat*. *L'atmosphère était particulière. J'avais l'impression d'être dans un autre monde. Certaines prenaient frénétiquement des notes sur leur petit carnet. Ma voisine écrivait en vert les hadiths, en bleu les versets, et en noir les prêches. J'étais très mal à l'aise. J'ai fini par la laisser tomber. De temps en temps, je prie pour elle...*

Fatima, 21 ans, étudiante.

D.B. : Dans son témoignage, Fatima raconte l'endoctrinement de sa voisine Vanessa. Avant d'y revenir, il s'agit d'insister sur le fait que les groupes dont il s'agit ici sont extrêmement minoritaires, bien qu'ils fassent énormément parler d'eux. Leur interprétation du Coran est complètement littérale, figée depuis le VIIe siècle, sans possibilité d'adaptation au contexte moderne. Ils s'appellent « salafistes », bien que beaucoup de musulmans considèrent que c'est une usurpation de nom, car la Salafiya est initialement un courant réformiste qui permet d'adapter le droit musulman aux conditions de vie moderne.

---

* Cercle d'enseignement religieux.

Le discours de ce mouvement est donc construit sur la confrontation avec l'autre, autrement dit la haine de l'Occident. Leur objectif premier consiste à rompre toute relation avec le « mécréant ». La filiation à ce type de groupe passe par la rupture avec le reste du monde. La religion n'est plus un tremplin pour aller vers l'autre mais devient le moyen de se sentir supérieur. Ils se considèrent comme le dernier bastion de résistance contre le « mal ». De ce fait, ils refusent toute participation à la société française, ce qui reviendrait à collaborer avec les « forces du diable » ! Tout, dans notre société, serait là pour les détourner de Dieu. Dans cette logique, rester en marge et rejeter tous ceux qui ne sont pas comme eux prend l'allure du premier devoir religieux. S'exiler en terre musulmane et vivre entre eux devient leur plus cher désir. Ils font pression sur les jeunes pour qu'ils ne votent pas lors des élections, leur expliquant que c'est contraire à l'islam d'intervenir dans un débat de mécréants !

S.K. : Ces groupes prolifèrent dans des milieux prédisposés à les accueillir. Le noyau dur des leaders est constitué d'arabophones — voire de francophones — nourrissant une certaine haine et un certain mépris à l'égard de l'Occident en général et de la France en particulier, puisque dans notre cas ils vivent ici. L'islam va être transmis sur la base de cette haine de l'Occident et non pas sur celle de l'amour de Dieu. Toute la construction de ces groupes s'articule autour de la frustration que certains jeunes en situation d'exclusion vivent : ils leur donnent des arguments, ils les déresponsabilisent, ils alimentent leur colère et la transposent sur le registre religieux. Finalement, ils prouvent aux jeunes que leur colère est justifiée et les renforcent dans l'idée que tout le système politique prévoit de les exclure parce qu'ils sont d'origine musulmane. Par extension, la seule solution pour combattre la société, c'est donc de devenir *plus* musulmans. C'est ainsi qu'ils justifient les règles et les codifications inhérentes à leur groupe. Déjà physiquement, tu ne dois pas ressembler aux *kofars* (impies ; pl. de *kafir*). Le vêtement fait partie du combat. La veille de l'Aïd, alors que chacun doit bien s'habiller, les prédicateurs interdisent les costumes « costard-cravate », parce que ces derniers sont portés par les « ennemis ». Il faut au contraire se démarquer, par exemple en criant bien fort dans la rue *Allah Oukbar* !

D.B. : En fait, ils recrutent des jeunes qui ont déjà la haine de la société. Tes propos montrent que ces mouvements utilisent le sentiment d'exclusion déjà existant pour asseoir leur emprise et justifier leur existence. Cela signifie que ce n'est pas l'islam qui mène à la haine de l'autre — qu'il soit mécréant, chrétien, juif, ou autre musulman —, contrairement à ce que plusieurs ouvrages récents tentent de prouver, encouragés par les attentats du 11 septembre. Les groupes dont il s'agit passent par l'islam pour renforcer une haine déjà installée en lui procurant à la fois un cadre et des arguments. Est-ce à dire que tous les jeunes qui y adhèrent présentent ce profil type ?

S.K. : Les initiateurs du groupe sont les plus virulents. Ils portent toute une idéologie centrée sur le rejet du non-musulman. Parmi tous les jeunes qui rejoignent ces mouvements, il y a néanmoins une certaine diversité. Aux côtés de ceux qui « ont la haine », d'autres sont attirés par la perspective de se rapprocher du Prophète (PSL). Je m'explique : ces mouvements estiment représenter l'islam « authentique ». Ils transmettent une idée de la religion tellement sublimée, empreinte de force colossale, de miracles indescriptibles... qu'ils font rêver les jeunes. Ils donnent une image tellement valorisante qu'à la fin, les jeunes veulent s'en imprégner. Cette vision est tellement inaccessible qu'en définitive, la seule possibilité qu'ils ont, c'est de ressembler à celui ou à celle qui est en train de leur en parler. Ce qui compte, c'est de se ressembler. Ça passe par l'aspect extérieur. On a besoin de s'identifier mutuellement dans cette conception du monde. À défaut d'être fort, on se sent fort.

Ces groupes abordent les jeunes de manière relativement subtile : ils semblent tellement soucieux d'être fidèles au Prophète (PSL) que leur radicalité est perçue comme une preuve de leur attachement : pas de concession. On ne concède rien de ce qui est la base de l'islam. Le jeune qui veut se rapprocher de Dieu se sent en sécurité, il trouve des repères, il est cadré en tant qu'individu, il est prêt, pour être à la hauteur, à tout appliquer à la virgule près. Le Prophète mangeait par terre avec les mains ? Lui aussi. Le Prophète avait une barbe de tant de centimètres ? Lui aussi. Les femmes du Prophète portaient un long *niqab* ? Elle aussi. Tous les jeunes qui portent la barbe et toutes les femmes enfermées dans leur voile noir ne sont pas forcément violents, ils veulent simplement porter sur eux ce qu'ils ont en eux.

D.B. : Ce sectarisme est forcément dangereux, en ce qu'il coupe les jeunes des autres et de la société. Il condamne toute perspective de lien social. Ne parlons pas d'autonomie ou d'une quelconque évolution personnelle. D'existence tout simplement ! Dans le cas de Vanessa, on appréhende bien la gravité de sa rupture d'avec le monde. Les répercussions se mesurent à tous les niveaux : intellectuel — plus de conversation —, social — plus de relations avec d'autres personnes —, affectif — perte de sa famille —, professionnel — plus de perspective d'avenir. Ce sont les conditions idéales que concoctent les gourous de sectes qui cherchent à mettre leurs adeptes sous leur tutelle !

S.K. : La particularité de Vanessa est qu'elle est convertie. Cela l'amène à rompre avec sa propre famille qui est dans le camp de ceux qu'elle est censée combattre. Mais les musulmans « d'origine » vivent en fait la même situation, dans la mesure où leur famille n'adhère pas à leur conception de l'islam. Car ces groupes considèrent que les autres musulmans ont trahi leur islam, qu'ils ont pactisé avec l'ennemi, qu'ils ont fait des concessions. Par exemple, vis-à-vis de nous, ils considèrent qu'on éloigne les jeunes de Dieu en multipliant les actions éducatives, sportives, ou citoyennes. La seule activité estimable de leur point de vue est l'enseignement du Coran. À nos yeux, la religion passe évidemment par cet enseignement mais ne s'arrête pas là : c'est le point de départ.

D.B. : L'endoctrinement des garçons se construit autour de la haine de la société et de l'idéalisation d'un islam tout-puissant, mais celui des filles ? Qu'est-ce qui a pu à ce point conduire quelqu'un comme Vanessa à devenir salafiste ?

S.K. : Les groupes féminins se construisent un peu sur la même base que les garçons. Dans un quartier, il y en a deux, puis trois, puis quatre, et puis de plus en plus... Elles appartiennent à un groupe. Elles sont membres d'un clan. Cette appartenance leur donne une place et un rôle bien définis, et surtout très valorisés : la procréation et l'éducation (selon les valeurs auxquelles elles sont fidèles) passent par elles... Ces mouvements sont très soucieux d'attirer des femmes parce qu'ils ont compris que par leur intermédiaire, c'est toute une cellule familiale qu'ils endoctrinent.

D.B. : L'organisation de type clanique explique l'augmentation de convertis dans ces mouvements. Bien que la plupart de ces derniers adhère à l'islam suite à un long cheminement spirituel parce qu'ils y trouvent les valeurs qu'ils recherchent, d'autres sont à la quête d'une « famille de substitution ». Plus la crise sociale prend de l'ampleur et plonge les individus dans la précarité et dans la solitude, plus les extrémistes recrutent. La plupart du temps, les convertis dont on parle ici — endoctrinés — ne sont pas tant dans une quête spirituelle que dans une quête identitaire profonde. Ces Français dits « de souche » ont des comptes à régler avec la société, avec l'humanité entière bien souvent, et l'islam devient un exutoire pour devenir quelqu'un, trouver un sens à sa vie, régler des comptes. Ils n'entrent pas « en religion » mais d'abord dans un cadre. Il s'agit de l'islam mais ce pourrait être sous d'autres siècles ou sous d'autres cieux de n'importe quelle organisation terroriste un peu structurée. La conversion est facile : il suffit d'enfiler un truc sur la tête et un kanisse* sur le corps pour devenir musulman ! Tous les témoignages le corroborent. On pourrait faire une étude sur les caractéristiques de ces convertis recrutés par ces mouvements : troubles du comportement, problèmes de frustration sociale, filiation (réelle ou symbolique) insécurisante (pas de père, père alcoolique, mère malade, etc.), non-intégration de la

* Vêtement traditionnel.

loi, etc. Lorsqu'ils se rendent compte que le groupe ne règle pas leurs problèmes, certains se suicident et d'autres se tournent vers le terrorisme armé.

S.K. : Répétons que ces groupes sont déjà minoritaires et que les jeunes issus de ces groupes qui deviennent violents sont une minorité au sein du groupe minoritaire. On les expose comme si on nous avait pris la main dans le sac ! Je pense que c'est une erreur. Cela peut amener des jeunes indécis à basculer. Cela vient conforter le discours des plus radicaux qui vont s'en servir d'arguments décisifs : « Vous voyez qu'ils n'aiment pas l'islam ! » Surtout lorsque l'actualité internationale présente des cas d'injustices faites à des populations musulmanes. On gagnerait en efficacité en traitant le terrorisme comme du terrorisme, quelle que soit la référence revendiquée par les coupables. D'autant que nous n'en avons pas fini avec ces groupes : alors que leurs responsables viennent souvent de l'étranger, on se demande comment ils arrivent si facilement à obtenir des cartes de séjour. Depuis quelque temps, nous voyons en plus arriver une secte, les habbaches, du nom de leur chef. C'est le degré encore au-dessus, puisqu'ils « excommunient » tous les autres musulmans !

D.B. : Certains témoignages racontent qu'ils présentent le vol sur un non-musulman et le viol sur une non-musulmane comme un « bon point » pour le paradis ! Mais nous ne possédons aucun écrit pour confirmer ces propos.

Quoi qu'il en soit, la donnée commune à tous ces groupuscules est l'isolation des jeunes comme préalable à l'efficacité de leur endoctrinement. Or, peu importe la visée de chaque mouvement : en tant qu'éducatrice, je considère que la rupture d'avec le reste du monde est en soi dangereuse.

Prenons l'exemple des mouvements Tablighs* qui sont complètement pacifistes : ce sont des piétistes qui aiment se réfugier dans un rapport à Dieu le plus serein possible. Comme ils ne font aucune politique, les institutions ferment souvent les yeux sur leur prosélytisme lorsqu'ils arpentent les banlieues pour ramener les jeunes dans le « droit chemin de Dieu ». C'est certainement d'eux qu'il s'agit dans le témoignage de Fatima lorsqu'elle parle de « barbus qui s'adressent aux jeunes ». De ma place, leur attitude présente néanmoins un certain danger, en ce qu'ils enferment les jeunes dans un dogme. Il est vrai qu'ils ne prônent pas la haine de l'autre. Mais ils présentent tout de même la religion comme un monde à part. Les jeunes y rentrent comme dans une bulle qui les préserve du reste du monde. Ce mouvement est notamment intégré par d'anciens délinquants ou toxicomanes. D'autres y trouvent un espace de liberté à partir duquel ils peuvent se reconstruire, se restructurer. Les maires des villes sont contents : la paix sociale revient. Cela marche pour certains jeunes. Mais pour d'autres, ce n'est qu'un transfert de névrose. Ils vont reproduire avec Dieu la relation névrotique qu'ils avaient déjà. Il s'agit d'une substitution. Autrement dit, le fond du problème n'a pas été traité, soigné : ce n'est qu'un simple déplacement. Lorsque la problématique ressurgit, c'est multipliée par deux, ou par dix...

La préservation du lien social est un axe principal pour prévenir l'intégrisme, en amont de manière générale, mais aussi en aval, une fois que ces jeunes sont entrés dans ces mouvements. La religion est dangereuse lorsqu'elle devient le seul espace vital : s'enfermer dans le domaine religieux mène à des dérives qui peuvent pousser les jeunes à bascu-

---

* Mouvements d'origine pakistanaise.

ler d'un extrême à l'autre, d'une dépendance à l'autre, voire d'une drogue à l'autre. Mais le lien est d'autant plus difficile à garder que le jeune qui passe par la religion pour « recommencer à zéro » veut rompre avec tout ce qui pourrait avoir un rapport avec son ancienne vie. Il passe par une période de défense et coupe avec tous ceux qui ont été témoins de son passé. La radicalisation est la plupart du temps passagère. Elle correspond à une certaine angoisse du jeune qui a peur de « retomber ».

Le problème consiste justement à ne pas le laisser seul à ce moment crucial. La méfiance envers l'islam ne doit pas entraîner de conclusion hâtive : se sentant perçu comme intégriste, le jeune va devenir d'autant plus réceptif aux discours de ceux qui veulent l'endoctriner. L'abandon des quartiers où sont implantés ces divers groupes va isoler les jeunes des réseaux d'insertion classiques et mener à l'aggravation du dysfonctionnement économique. La rupture avec les services sociaux amoindrit leurs chances de trouver du travail, et par conséquent de renouer avec la réalité sociale ou de conserver les liens existants avec cette dernière. Le maintien de la relation avec le jeune est primordial.

La conclusion tient en une phrase : si le religieux devient la seule possibilité d'exister, la porte de l'intégrisme est ouverte.

Peut-on être français et musulman ?

J'ai grandi dans un quartier qui n'était pas très musulman : il n'y avait presque que des Européens. C'est lorsque je suis entrée à la fac que j'ai commencé à me poser des questions sur les valeurs. À ce moment-là, j'ai cherché ma voie et je me suis reconnue dans ce que l'islam proposait. Au-delà des grands principes musulmans que je possédais déjà, j'ai cherché à approfondir ma spiritualité, le sens des choses, avant de parler de dogme. Je ne voulais pas m'imposer de contraintes : ma culture française m'incitait à accorder une grande importance à mon individualité, et c'était important pour moi d'avoir envie de faire le cheminement que j'entreprenais. Je l'ai poursuivi à mon rythme, de la découverte des textes musulmans au voile, en passant par la prière.

Puis est venu le jour où nous nous sommes rencontrés, mon futur mari et moi ; il s'appelait Laurent et fréquentait la mosquée. Son origine n'était pas un obstacle : ayant grandi avec des non-musulmans, je me sentais autant française que d'origine arabe. Je ne m'entends pas toujours avec des personnes qui fonctionnent selon le modèle arabe traditionnel. Et grâce à Dieu, nous nous sommes mariés quelque temps après. Notre couple repose sur l'islam dans la culture française. On a tous les deux une petite part de l'autre : moi, je suis impré-

gnée de sa culture d'origine, lui est imprégné de ma religion d'origine. Et nous n'avons aucun problème, ni l'un ni l'autre, avec des questions identitaires. Laurent continue à se sentir français à cent pour cent, il ne veut pas être assimilé à un Arabe. C'est bien l'islam qu'il a rejoint, pas nos traditions qu'il n'apprécie pas forcément ! Il est attaché à son prénom, qui fait partie de son histoire. Bien que mon origine soit différente, mes positions sont proches des siennes. Je ne me retrouve pas dans des traditions qui n'ont pas ou plus de sens. Par exemple, je n'ai pas voulu de mariage traditionnel dans lequel la mariée se retrouve comme une sorte de « poupée de cire » au milieu d'un public qui la dévisage comme un objet... Il n'y a pas de doute, tous les deux, nous sommes bien des Français musulmans.

Ce qui n'est pas facile à admettre pour notre entourage... Pour tout le monde, l'islam est aux antipodes de la francité. Notre couple est un paradoxe en lui-même. Certains disent : « Un Français reste un Français, ce ne sera jamais un vrai musulman. » Comme si l'islam était ethnique ! Comme si c'était la religion des Arabes ! Alors qu'il en connaît plus qu'eux ! D'autres m'attaquent sur mon voile, m'accusant de me voiler pour compenser l'origine de Laurent... Nous dérangeons non seulement les Français non musulmans qui n'aiment pas bien l'islam, mais aussi les musulmans non français qui n'aiment pas bien les Français... Et ni les uns ni les autres ne réalisent que l'on peut être français et musulman à part entière. Les Français d'aujourd'hui peuvent faire leur prière cinq fois par jour, et s'appeler aussi bien Laurent que Amel. Nous en sommes la preuve vivante... Mais on est loin de cette prise de conscience. Deux ans avant mon mariage, j'ai postulé pour entrer en DESS de droit humanitaire. J'ai passé en juin les tests et les entretiens. J'avais fait une « forte impression » sur le jury, m'avait-on annoncé au téléphone. Je représentais

— d'après leurs dires — le prototype de l'étudiante qu'ils recherchaient pour cette filière. Lorsque je suis arrivée en septembre pour leur annoncer que j'avais pris la décision pendant les vacances d'été de me voiler, cela a été l'explosion. De la meilleure, je devenais la pire : « Mais qu'est-ce qui vous arrive ? Ça ne va pas ? » La directrice m'a expliqué qu'elle était psychologue de formation et que si je voulais, on pouvait prendre du temps pour en parler. Ensuite, elle a évoqué le trouble que j'allais provoquer au sein du groupe d'étudiants. Mon foulard allait semer la panique. Elle m'a expliqué que je pouvais me « balader en maillot de bain » si je voulais, tant que je restais à l'extérieur du bâtiment « Europe » du DESS. Mais je devais être « correcte » en entrant. Et pour que je comprenne bien, elle a ajouté : « Est-ce que moi, cela me viendrait à l'idée de me mettre en minijupe en Iran ? » Et elle a conclu que je n'avais plus du tout le profil. Tout ça entrecoupé de commentaires sur sa grande générosité, mais quand même, « il y avait des limites ». Cela a été ma dernière minute à l'université Lyon-II. Dieu merci, la fac catho organisait un DESS des Droits de l'homme. Le directeur était un ancien prêtre qui savait qu'on pouvait être croyant sans être névrosé, qu'on pouvait être musulman et se préparer à exercer un métier... Mais j'ai longtemps pleuré, et je crois que c'est la comparaison avec l'Iran qui m'a le plus atteinte. Je ne pensais pas que des universitaires en droit humanitaire puissent encore nous prendre pour des étrangères...

Amel, 23 ans, juriste.

D.B. : Nous arrivons à la question fondamentale : y a-t-il une seule façon d'être français ? Peut-on être et se sentir français à cent pour cent et faire sa prière cinq fois par jour en se tournant vers La Mecque ? Peut-on être français *et* musulman ? L'islam apparaît encore comme la religion des Arabes, alors que seul un musulman sur cinq est arabe... Laurent et Amel ont « désethnicisé » l'islam et ont remis en cause l'idée selon laquelle il n'y avait qu'une seule façon d'être français !

S.K. : La comparaison avec l'Iran, c'est la comparaison qui tue. On l'entend au moins une fois par semaine : « Est-ce que moi, dans ton pays... » Mais c'est ici, notre pays ! On ne nous reconnaît pas comme françaises. On ne nous reconnaissait déjà pas comme françaises avant le foulard. Ça, il faut le préciser. Nos grands frères et nos grandes sœurs qui ont accepté de renier leur religion pour jouer le jeu du citoyen universel qui n'affiche soi-disant pas sa spécificité n'ont jamais été reconnus comme français. On continue de nous regarder comme des émigrés appartenant à un autre monde, à une autre culture même. On continue à représenter l'étrangéité. Et pourtant je suis un produit français. J'ai les mêmes problèmes et les mêmes interrogations que les autres jeunes qui ont grandi avec moi, même si j'ai une référence en plus des leurs !

D.B. : Certains organismes de formation d'éducateurs en sont encore à proposer des stages pour apprendre la « culture de l'autre »... Cette démarche est pourtant dénoncée par les chercheurs, en ce qu'elle conduit souvent à ramener et à enfermer le jeune dans un espace prédéfini, posé comme une hérédité, à travers lequel on va dorénavant tout expliquer. Alors que l'épanouissement du jeune est recherché, ce dernier va souvent être caractérisé à partir de sa présupposée appartenance culturelle, au risque de voir sa personnalité dissoute dans une identité collective qui de plus est fantasmée. Il y a une tendance générale à le renvoyer à la culture et au pays de ses parents. Ces exemples d'« ethnicisation du lien social » ne manquent pas. Au-delà du travail social stricto sensu, ils existent également dans l'Éducation nationale. Certains enseignants relient des transgressions du règlement scolaire à l'origine ethnique des élèves... Dans la vie de tous les jours, les jeunes témoignent de réflexions sans cesse renouvelées qui les enferment dans le parcours migratoire de leurs familles. Celui qui n'a pas éteint sa cigarette dans le bus va s'entendre dire : « Tu devrais déjà être heureux d'être en France », comme s'il s'agissait d'une faveur.

Pour illustrer, un exemple d'actualité : le mouvement des femmes « Ni putes ni soumises », proche de SOS Racisme, a affiché la volonté des jeunes femmes de se prendre en main de façon autonome pour revendiquer leurs droits. Elles ont organisé dans cet objectif des débats dans plusieurs villes. À cette occasion, on apprend qu'elles ont invité des Maghrébines du Maroc ou d'Algérie, ainsi qu'une exilée d'Arabie Saoudite, pour parler de la condition féminine. Aborder la question sous cet angle renvoie les jeunes à leur condition d'étranger, comme si les banlieues faisaient partie du Maghreb. Cela revient à lier les analyses concernant la situation des filles issues des quartiers à ce qui se passe dans les pays d'origine. Cette approche fait fi des dizaines d'années d'installation des familles en France, qui ont abouti à la revendication des jeunes d'être français.

S.K. : On nous renvoie à d'anciens clivages, où il y avait le « Français » et l'« étranger ». Le « Français » était présenté de telle manière que nous ne pouvions pas nous identifier à cette image-là. En caricaturant, cela devait passer par la bouteille de rouge et le sandwich au jambon. Il nous a effectivement fallu toutes ces années pour dépasser notre statut d'immigrés, comprendre qu'il n'était pas héréditaire et concilier l'idée que même si nous venions d'ailleurs, nous pouvions nous construire ici.

Cela fait violence qu'un musulman puisse être français et cela fait violence qu'il définisse lui-même son identité. Le système politique français a toujours douté de la possibilité d'être français et musulman, après avoir d'ailleurs douté de celle d'être français et juif[13]. Rappelons qu'en 1846, le ministère de la Guerre a refusé la naturalisation des musulmans : « La naturalisation des musulmans est impossible, parce qu'elle ne saurait avoir lieu sans renverser leurs lois civiles qui sont en même temps lois religieuses (...) Le Coran est le Code religieux des musulmans, il est aussi leur Code civil et politique (...) Il indique non seulement ce qu'il faut croire en matière purement civile. Il y a donc dans l'islamisme une telle connexité entre la loi civile et la loi religieuse, qu'on ne peut toucher à l'une sans toucher à l'autre[14]. » Nous sommes encore sous l'emprise de ce rapport. Le fait que M. Chevènement ait fait signer une charte pour la Consultation des musulmans, dans laquelle ces derniers devaient s'engager à respecter les valeurs de la France, avait été très mal vécu par ceux qui se croyaient déjà citoyens à part entière. Jusqu'à quand va-t-on devoir rendre des comptes sur la compatibilité entre l'islam et la République ? Cela n'a jamais gêné personne que nos grands-pères se fassent massacrer sur les champs de bataille pour défendre le territoire français. On ne trouvait pas que l'appartenance musulmane était incompatible avec la République française à cette époque !

D.B. : Si on en croit la gestion de la Consultation des musulmans de France, appelée maintenant Conseil français du culte musulman, le système politique français n'a pas complètement intégré la possibilité d'être français et musulman. Malgré la volonté officielle d'institutionnaliser un islam de France, on constate que la présidence est donnée à un fonctionnaire algérien. Et les autres membres du bureau ont pratiquement tous grandi dans leur pays d'origine : la plupart sont arabophones... Enfin, en choisissant le critère de la superficie des mosquées pour déterminer le nombre d'électeurs, c'est favoriser d'emblée celles qui ont été financées par l'étranger... Les liens avec les pays d'origine sont prédominants dans ce processus d'établissement d'un islam de France[15].

S.K. : Le principe de la Consultation n'était pas mauvais ; c'est normal que le gouvernement ait besoin d'un interlocuteur. En revanche, la procédure est complètement infantilisante puisqu'elle s'est mise en place sans nous alors qu'elle est censée nous représenter. Cette déclaration de principe que voulait nous faire signer Jean-Pierre Chevènement, ministre de l'époque, revenait à demander à une partie des citoyens français de justifier la sincérité de leur adhésion à la République. Or nous étions tous, déjà à l'époque, responsables d'associations citoyennes déclarées en préfecture, engagées sur le terrain, donc censées exister comme les autres. L'enchaînement des contradictions que tu soulignes également nous a amenés à refuser de participer à ce processus. Nous ne sommes plus tout à fait convaincus de la volonté réelle du gouvernement d'« inviter l'islam à la table de la République », vu ses alliances avec les consulats étrangers qui veulent garder la mainmise sur l'islam de France.

Notre génération a des positions spécifiques en tant que français de confession musulmane. On peut prendre l'exemple des mosquées. Certains — pourtant bien intentionnés — défendent la construction de belles « mosquées-cathédrales », bien visibles. Nous comprenons ce qu'ils veulent : des beaux monuments qui leur rappellent l'étranger ou leurs vacances au Maroc... Mais nous, on veut quelque chose de fonctionnel : correct au niveau de l'hygiène, de la sécurité, et qu'il y ait assez d'espace pour accueillir les femmes, c'est tout. Pourquoi faudrait-il un minaret alors qu'il n'y a pas d'appel à la prière ? Ce lieu de culte doit rayonner dans la société française autrement que dans les sociétés musulmanes, plutôt par sa dimension sociale que par une visibilité esthétique.

D.B. : Nous allons approfondir vos positions de Français de confession musulmane de manière détaillée dans la deuxième partie de l'ouvrage, à partir de témoignages de leaders associatifs qui travaillent sur la question de la citoyenneté depuis plusieurs années. Mais auparavant, un fait divers peut à la fois illustrer nos précédents échanges autour de l'interrogation « Peut-on être français et musulman ? » et servir de transition.

Je pense à l'histoire de Ryad, dont j'ai déjà beaucoup parlé[16], qui a été abattu par un policier par-derrière alors qu'il fêtait son embauche d'emploi-jeune par Martine Aubry. Sans revenir sur les circonstances de sa mort, le débat qui s'est alors déroulé est lourd de symboles : d'un côté, le consulat algérien voulait enterrer Ryad en Algérie, le considérant comme algérien, de l'autre la mairie de Lille proposait une cérémonie laïque aux pompes funèbres de Lille, le considérant comme français, et au milieu les copains de Ryad s'offusquaient : « Mais Ryad est français de confession musulmane ! Il doit être enterré dans le carré musulman [17] du cimetière de Lille-sud par l'imam de notre mosquée de quartier ! » C'était une caricature de la notion d'intégration à la française. Soit Ryad restait musulman et repartait chez ses parents, soit on lui laissait une place, mais sans son islam ! On peut également dénoncer le travail de sape des médias dans le même mouvement : deux ans plus tard, ces derniers, fort au courant de ce débat, annoncent le procès d'un policier qui a abattu un « jeune Algérien » ! Ajoutons enfin ce qui fait le plus mal. Lorsque le policier est ressorti libre du tribunal, les jeunes n'étaient même pas surpris : « Mais Dounia, tu croyais que ça valait quoi, la vie d'un Arabe ? » Ceux-là mêmes qui s'étaient battus pour considérer Ryad français deux ans auparavant se rendaient à l'évidence : arabes ils étaient, arabes ils resteraient... On peut le dire autrement : il vaut mieux être arabe que rien...

II.

CES FRANÇAIS DE CONFESSION MUSULMANE

Un islam de contestation

Mon grand frère a fait la marche des beurs. Il avait confiance... Il pensait qu'en dénonçant les discriminations, elles allaient être interdites. Pour nous qui sommes arrivés derrière, il n'y avait plus d'espoir... Notre principale revendication, c'était d'être acceptés tels qu'on était. On avait un besoin vital d'être reconnus. Nos réactions étaient très agressives. On était tellement frustrés qu'on réagissait de façon épidermique. On voulait montrer le « musulman qui était en nous », on voulait même ne montrer que ça ! La religion était réduite à un dogme, et il n'y avait que l'apparence qui comptait. Avec nos longues barbes, nos turbans, et les femmes tout en noir, on défilait en hurlant Allah Oukbar *dans les rues de Lyon. Arrivés place Bellecour, qu'est-ce que c'était bon de prier sur la grande place publique ! Dans la capitale des Gaules, on était vraiment terrifiants, terrorisants, traumatisants, et ça nous faisait un bien fou ! Il y avait cinq cents CRS pour nous. On a marqué la scène publique de façon radicale. Je le regrette car cela a laissé des traces indélébiles auprès de la population, mais en même temps, je me demande dans quelle mesure ce n'était pas un passage obligé, de moindre mal, pour venger nos pères qui avaient accepté de prier dans les caves. Peut-être qu'il valait mieux vider la haine comme ça qu'autrement...*

*On s'était trouvé des éléments d'identification : les kaplanistes**, *des Turcs dissidents du Refah***, *islamistes très marqués avec leurs turbans, barbes,* niqab, *la totale ! On était dans une pensée manichéenne, avec une ségrégation intransigeante. Nous, on était les bons, les autres étaient les méchants. On remettait en cause le musulman qui portait une cravate. Celui qui n'avait pas de barbe, celle qui n'avait pas de foulard étaient des mécréants ! C'était un raisonnement primaire : soit tu es exactement comme nous, soit tu ne l'es pas et donc tu n'es pas musulman. On cherchait la dimension intègre. Après la négation, on était dans l'intègre !*

Nos comportements n'étaient pas en accord avec ce qu'on préconisait. Quand on nous attaquait, on était capables de répondre encore plus violemment. Pour nous, c'était défendre notre identité. Mais en vérité, on agissait à l'envers des valeurs qu'on défendait. Normalement, on aurait dû avoir plus de sagesse et de retenue. Au nom de la défense de nos valeurs, on faisait un peu n'importe quoi. En fait, on ne les avait pas assimilées tant que ça, ces valeurs qu'on défendait. Ce qui était le plus important, ce n'est pas le message qu'on prétendait porter... La vérité, c'est que le plus important, c'était nous : notre équilibre à nous. Ce que je défendais en fin de compte, c'était moi. Je me défendais moi, pas les valeurs musulmanes. Des fois, je contredisais même mes valeurs pour moi, parce que j'en avais marre qu'on me nie, qu'on me refuse des choses, même si c'était accessoire, même si c'était vraiment secondaire... On défendait une identité qu'on connaissait peu, on l'utilisait plus qu'on ne cherchait à la promouvoir... Il y avait

* Mouvement dissident radical, du nom de Jamalddine Kaplan, qui s'est séparé du Refah et refuse tout dialogue avec les autorités turques.

** Mouvement musulman turc, devenu le « mouvement de la Prospérité », actuellement au pouvoir en Turquie.

surtout cette envie d'en découdre, on nous avait tellement niés...

Nous étions dans une posture d'apparat mais on ne rejetait pas l'autre. On se battait contre lui, on était dans un rapport de force pour nous faire valoir mais on tenait forcément compte de lui, on voulait s'imposer. Les groupes radicaux qui attirent aujourd'hui certains jeunes leur offrent aussi des éléments d'apparat pour s'identifier et se distinguer de cet « Occident qui les maltraite ». Il suffit de se laisser pousser la barbe et de se cacher derrière un tchador noir pour être musulman ! Mais contrairement à notre ancien comportement qui ressemblait à ça, cette identification par la différence est beaucoup plus dangereuse. Nous, on en rajoutait pour entrer dans des espaces qui nous étaient refusés, on « foutait la pagaille » pour nous imposer. Tandis que ces groupes sont dans le rejet pur et simple de l'autre. Leur identification dans l'apparat mène à la confrontation, voire à la destruction de l'autre. L'islam est pour eux un exutoire pour devenir quelqu'un, trouver un sens à leur vie et régler leurs comptes. Ils trouvent un groupe d'appartenance. Au sens où ils appartiennent à ces groupes...

Abdelaziz, 34 ans, travailleur social,
militant associatif[1]

D.B. : Ce témoignage exprime l'état d'esprit dans lequel étaient ceux qui ont grandi juste après l'échec de la marche des beurs, dans les années 80. Rappelons que ces derniers, leurs « grands frères », avaient été socialisés par l'école, la télévision, et avaient beaucoup d'espoir dans la perspective d'une promotion sociale. Lorsqu'ils se sont mobilisés dans ce que les médias ont ensuite nommé la « marche des beurs » bien qu'elle rassemblât des militants de différents horizons, ils n'ont mis en avant ni le passé colonial ni leur appartenance musulmane dans leurs revendications. La plupart d'entre eux avaient intégré une sorte d'« islam sécularisé », vécu comme un ensemble culturel et philosophique. Leur confiance dans les valeurs républicaines d'égalité les incitait à placer leur lutte sur un plan purement social.

C'est l'échec de cette marche qui a changé la relation de la génération suivante à la société française et conduit les petits frères de ceux qui ont fait la marche des beurs à vouloir rompre avec l'obligation de « discrétion », à laquelle se sont plus ou moins soumis leurs pères et leurs frères. Même si le renouement avec l'islam se rattache d'abord à l'expression d'une prise de conscience des jeunes de leur installation définitive en terre française — il s'agit de s'organiser pour vivre en toute quiétude sa relation à Dieu —, il se rattache aussi à la fois au besoin d'une quête identitaire (« Qui sommes-nous vraiment, pour être traités comme ça ? ») et à la contestation d'un système qui a demandé le reniement complet de la « particularité religieuse » sans leur octroyer la place de citoyens à part entière au sein de la société[2]. Au-delà d'une recherche d'identité, l'islam devient à ce moment-là un moyen de se faire entendre, de se faire « prendre en compte », de contester. Après l'échec des marches, un certain nombre de jeunes recommencent les émeutes. Ceux qui passent par l'islam sont dans le même état d'esprit. Il semble que la religion soit alors un outil plus qu'un objectif. Elle constitue un moyen de contestation parmi d'autres, parfois sur un mode assez violent. Ce passage par l'islam radical ne correspond pas à une renonciation à la citoyenneté. À cette époque, la volonté des jeunes est encore nourrie par l'espoir d'être pris en compte et de participer à la société française.

S.K. : Le problème, c'est qu'à la même époque surgit l'islam politique sur la scène internationale. C'est la montée de l'intégrisme en Algérie et la guerre du Golfe, qui suscitent un lourd climat de suspicion envers tout musulman. Cette donnée va entraîner une confusion encore présente aujourd'hui. Au lieu de centrer les études sociologiques sur la situation franco-française, au lieu de lier l'attitude des jeunes au contexte de l'échec de la marche des beurs et à la crise économique, on l'a affiliée à l'étranger. La réaction des jeunes musulmans de France va être analysée à travers le prisme de l'actualité internationale. L'esprit qui les anime autour de la revendication légitime d'exister ici en France dans la continuité de leurs aînés est complètement ignoré. On les accuse de vouloir islamiser la France. Ils se retrouvent dans une position difficile : d'un côté, comme ils ont décidé de vivre pleinement leur islam, ils se sentent proches des autres musulmans qui sont majoritairement à l'étranger ; de l'autre, ils n'ont plus aucune confiance envers les institutions qui ont refusé l'égalité à leurs grands frères et essayé de récupérer sur un plan politique leur mouvement social. Les dés sont pipés.

Cela me ramène à quelques années en arrière, à l'époque de la guerre du Golfe, alors que je ne pratiquais pas encore ma religion... Étant quand même perçue comme musulmane, j'étais assignée à adopter intégralement la position politique française officielle, sous peine d'être une « traîtresse ». On imposait aux musulmans un choix sur la base d'une lecture manichéenne. Toute tentative d'analyse de la situation de notre part était comprise comme une adhésion à la politique de Saddam Hussein. On devait se positionner selon une certaine grille préétablie. On ne pouvait pas, par exemple, en tant que musulman, déplorer l'atteinte aux Droits de l'homme faites aux civils irakiens. Cela aurait été signe de connivence. Heureusement, d'autres l'ont fait. Mais nous, nous n'avions pas cette liberté-là.

D.B. : J'étais encore éducatrice en 1995, lorsque le plan Vigipirate a été réactivé à l'occasion des attentats, et j'ai pu constater qu'un certain nombre de jeunes commençaient à se revendiquer « islamistes », comme si leur choix devenait strictement binaire : « être un bon petit Français » qui ne montre rien de son appartenance musulmane, ou « être de confession musulmane » et, de ce fait, être perçu comme intégriste. Ils intériorisaient cette conception et s'appropriaient cette seule façon de vivre l'islam, s'enfonçant dans la surenchère.

S.K. : Nos grands frères se sont vu refuser les droits politiques et ont été renvoyés à leur statut d'« étrangers » au moment où ils commençaient à s'intéresser aux enjeux politiques de la France. Les plus jeunes bénéficiant le plus souvent de la nationalité française vont aussi en être écartés à cause d'une suspicion constante d'allégeance à des mouvements intégristes. Cela a pour effet de les amener à se sentir proches — au moins d'un point de vue psychologique — des mouvements islamistes qui subissent la répression dans les pays d'origine non démocratiques. Ils ont le sentiment que les musulmans sont toujours persécutés, où qu'ils se trouvent.

D.B. : C'est à cette époque que le discours anti-immigré a fait place à un discours antimusulman. La maladresse et l'agressivité des demandes de reconnaissance des jeunes musulmans n'ont provoqué qu'une rigidification du concept de laïcité. Leur lutte qui accompagnait initialement leur demande de reconnaissance au sein de la société s'est finalement progressivement déplacée sur le terrain du culte. Il s'est désormais agi de se battre pour l'application du droit de pratiquer sa religion, sur le terrain de l'égalité des cultes. L'affrontement change de terrain : on a provisoirement glissé de la citoyenneté au juridico-religieux.

Une relecture des textes

Pour nous, « laïque » signifiait « contre Dieu ». Contre le religieux. Puis on a découvert que ce n'était pas ça, mais que la laïcité avait été instaurée pour permettre la pluralité : c'était un cadre qui permettait à toutes les religions de vivre ensemble, sans supériorité de l'une sur l'autre. Nous n'avions donc plus besoin de « faire la guerre », même symboliquement. La France était un pays favorisant le statut de musulman, pour être respecté.

La compréhension de la laïcité nous a finalement redonné espoir et calmés. Notre évolution est en lien direct avec cette compréhension. Avant, dans nos associations destinées à nous occuper des plus jeunes, il y avait un mélange entre la prise en charge éducative et la prise en charge religieuse. À cette époque, on trouvait normal qu'il y ait une « moquette de prière » par terre et les livres théologiques dans l'arrière-salle. Ceux qui rataient l'heure à la mosquée arrivaient, enlevaient leurs chaussures et accomplissaient leur prière. L'étudiant venait voir ses amis et il priait au passage. Nous, on pensait que c'était normal, tant qu'on proposait aussi des loisirs. Mais les institutions ont commencé à nous taxer d'intégrisme. Il faut préciser qu'il n'y avait pas d'autre endroit pour s'informer sur l'islam. Aujourd'hui, le maire de Vénissieux veut créer un centre d'information islamique avec d'autres communes de la région, ça a avancé...

On est dans une autre aire. À l'époque, on était en plein engouement pour l'islam retrouvé mais il n'y avait pas de lieu pour en parler. C'est aussi cela qui a poussé à mélanger les espaces. Dès qu'il y en avait un, tout le monde se précipitait.

En fait, on ne connaissait pas bien la France. Après coup, on s'en rend compte. On n'avait pas déconstruit les inconscients, on sous-estimait le jeu politique... Il y avait des tas d'enjeux qui nous dépassaient, l'impact de l'étranger mais aussi l'histoire de la France. Dieu, ça ne voulait pas dire la même chose ici qu'au Maghreb. Il y a un passif énorme. Quand on s'est battus pour l'histoire des foulards, on a bien vu autour de nous la haine dans les yeux des opposants. On croyait que cela s'adressait à nous. En fin de compte, elle englobait à la fois les « musulmans-émigrés-arabes-étrangers » et le religieux en tant que tel. Le jour où une militante hors d'elle m'a comparé au curé qui avait persécuté pendant des années son père instituteur dans un petit village, j'ai compris d'un coup le poids de l'histoire de France dans ce qui se jouait avec nous. J'ai compris pourquoi on nous accusait de complot.

Ensuite, on s'est rendu compte qu'on ne connaissait ni vraiment l'islam ni vraiment l'histoire des relations de la France avec nos pays d'origine. Donc on a adopté la même démarche que pour comprendre la laïcité : on est retournés aux textes fondateurs. Ce n'était pas pour devenir ce que certains appellent « fondamentalistes », c'était pour voir ce que l'islam disait vraiment. On avait besoin d'y voir clair, pris entre deux feux, entre ce qui se passait à l'étranger et ceux qui nous refusaient ici. Et en retournant à nos sources, on a compris que faire Allah Oukbar *en pleine place publique pour embêter les autres, ce n'était pas très musulman... De là a commencé une compréhension plus juste de notre religion...*

Akim, 29 ans, employé.

D.B. : Le poids de la constante suspicion ajouté au refus de reconnaissance aurait pu définitivement figer ces jeunes musulmans dans des positions extrémistes. On constate pourtant avec le recul que les oppositions rencontrées les ont amenés à s'instruire sur leurs droits et devoirs, afin d'organiser la pratique de leur religion en France. Ce glissement vers le terrain de la connaissance juridique et de l'égalité des cultes va s'avérer fondamental pour l'évolution qui va suivre, les conduisant à étudier les deux concepts qui leur sont présentés comme incompatibles : l'islam et la laïcité. C'est donc de manière un peu paradoxale que s'effectue ce glissement du domaine de la revendication citoyenne et politique au domaine juridico-religieux. Cela va les amener à la fois vers une meilleure connaissance du contexte laïque et vers une meilleure compréhension de la religion musulmane, aboutissant à l'intériorisation des prémices d'un « islam français ».

S.K. : Il s'agissait de régler une sorte de conflit intérieur : nous avions à cette époque le sentiment d'être en tort, parce que nous vivions sur un territoire étranger et hostile à l'islam. D'un côté, nous avons compris en étudiant les textes de la Constitution française que rien ne s'opposait à la pratique de notre religion ; de l'autre, nous avons vérifié en étudiant les textes de notre religion que rien n'empêchait un musulman d'habiter un pays laïque : nous pouvions vivre notre foi là où nous nous trouvions. Cela nous a amenés à reconsidérer notre place et notre relation avec cette société et avec notre religion. La meilleure illustration en est la remise en cause de la scission du monde en « Terre de l'islam » et « Terre de la guerre », jusque-là prédominante. Le territoire français, en tant que territoire où l'on peut vivre sa foi en paix et dans le respect de l'autre, n'est pour nous ni l'un ni l'autre, mais plutôt la « Terre du témoignage ».

D.B. : C'est Tariq Ramadan qui a parlé de ce concept. Est-ce que son succès auprès de votre génération ne vient pas du fait qu'il a été le premier à dire publiquement qu'il n'y avait pas d'incompatibilité entre « vivre pleinement son islam » et « vivre en pays laïque » ? C'est-à-dire à ouvrir la possibilité d'être « à la fois français et musulman » sans être — pour reprendre son expression qui est maintenant dans la bouche de tous les jeunes — « un petit peu moins français pour être plus musulman ou un petit peu moins musulman pour être plus français » ?

S.K. : Il est effectivement venu rassurer toute une génération de jeunes qui avaient envie de vivre pleinement leur islam dans leur pays sans savoir comment s'y prendre. C'est à ce moment-là que nous avons commencé à prendre conscience de notre culture française et à la revendiquer, en nous identifiant « français de confession musulmane ». C'est bien en retournant à nos sources que nous nous sommes dégagés des représentations étrangères. Auparavant, comme nos parents n'avaient pas pu tout nous apprendre, nous avions hérité des valeurs mais nous ne possédions pas assez d'éléments pour élaborer notre islam en terre laïque : on s'inspirait de l'étranger. Donc on ne pouvait pas se construire ici. On était face à un vrai dilemme. Il nous a fallu une sacrée connaissance pour arriver à élaborer notre propre islam. Des livres en français ont commencé à émerger, ce qui nous a progressivement amenés à penser l'islam en français. Cela a changé nos perspectives. Quand tu penses en français, tu te rends compte que tu peux être musulman ici, ça t'engage vers l'autre. Tu te rends compte qu'il n'y a plus de dilemme du tout. Aujourd'hui, on est en conflit avec certains arabophones, qui n'ont pas la même perception du monde et qui dévalorisent notre islam. On n'est reconnus ni par eux ni par les autres Français.

D.B. : C'est donc l'étude de deux éléments présentés au départ comme incompatibles — la laïcité et l'islam — qui vous a permis d'évoluer au sein des deux modèles et d'être en mesure de les rapprocher, démontrant que rien dans les sources de l'islam ne contrevenait au fait de vivre en pays laïque et que rien dans les textes de la laïcité ne vous empêchait de pratiquer votre religion. C'est ce qui a inspiré les mots d'ordre des manifestations pour le port du foulard : « Français oui, musulman aussi. Musulman oui, Français aussi » ou bien : « Laïcité oui, mon foulard aussi. Mon foulard oui, laïcité aussi [3]. » Vous étiez alors dans une dynamique d'affranchissement vis-à-vis des idéologies de référence. Dorénavant vous vous donniez les moyens de répondre vous-mêmes aux questions qui vous habitaient, au-delà de ce que vos parents vous disaient, au-delà de l'apport des écoles de jurisprudence islamique...

Mais l'histoire de l'immigration fait que votre recherche d'une autonomie de pensée ne pouvait qu'avoir des incidences sur les relations instituées avec les institutions publiques : cette nouvelle réflexion a amené d'autres types de lecture sur la question de l'intégration et de la citoyenneté et a interrogé les pouvoirs publics sur leurs représentations et sur leurs normes.

S.K. : Autant l'islam symbolisait pour nos parents une partie de « là-bas », de ce qu'ils pouvaient en garder, autant il s'agit pour nous d'intégrer nos valeurs religieuses dans notre développement citoyen. Nous avons pioché des éléments un peu partout pour nous construire. On nous a notamment reproché d'avoir trouvé des choses positives chez les Frères musulmans. C'est plus exactement dans la pensée réformiste qui va d'al-Afghani à Hassan al-Banna que nous avons puisé certaines références. Ce que nous avons apprécié chez eux, c'est un rapport à la religion dans sa globalité, qui comprend tous les domaines de la vie, y compris le social et le politique. Être musulman, c'est aussi s'engager dans son quartier, participer aux grands débats de société, se sentir concerné par tous les problèmes, faire de la politique, se battre pour plus de justice et de démocratie.

Si tu prends l'exemple de mon association FFME, tu perçois nettement cette évolution. Au départ, elle était strictement communautaire. Ce n'était pas intentionnel mais c'était la réalité. On l'avait induit. Juste le nom : Union des sœurs musulmanes de Lyon... Initialement, on voulait simplement aider les jeunes filles voilées. On pensait que c'était un problème interne aux musulmans, même s'il n'a jamais été question de réduire notre questionnement ou notre identité au foulard. Notre objectif était de gérer cette crise de déscolarisation féminine. Très vite, des enseignants de tous bords sont venus proposer leurs services. Une fois sur le terrain, on s'est rendu compte que ce n'était pas une question de légalité mais de mentalité. On a commencé à travailler sur la question du déficit d'image dont les femmes musulmanes souffrent. Dans le même temps, on a également réalisé qu'il y avait chez ces dernières une intériorisation d'une certaine idée du foulard qui ne favorisait pas leur épanouissement personnel. On a commencé à mettre en place des cercles de réflexion qui sortaient des thèmes traditionnels liés au « licite et illicite », « droits et devoirs » de la femme en islam... On a voulu impulser un débat général autour des problématiques de société : la laïcité, la politique, la mondialisation, l'Europe, etc. En même temps, on voulait amener les musulmanes à construire un espace associatif dont elles se servent comme tremplin pour développer des actions à leur image de nouvelles femmes françaises de confession musulmane. Nous voulions décloisonner les débats sur le fond et sur la forme pour qu'en définitive les femmes puissent participer à la construction de la société. C'est donc pour être en cohérence avec notre évolution qu'il fallait changer de dénomination, et passer à celle de « Femmes françaises et musulmanes engagées ».

D.B. : Si vous avez été nombreux à vous reconnaître dans la conception globale du religieux de la doctrine des Frères musulmans, c'est peut-être justement parce que cette dernière met l'accent sur l'engagement au sein de la société qui vous est cher depuis toujours : être musulman ne consiste pas uniquement au respect du rituel. Dans cette logique, il n'est plus besoin de choisir entre l'islam et l'inscription au sein de la société française. Vous vous positionnez exactement à l'envers des mouvements s'autoproclamant « salafistes » qui empêchent les jeunes de s'intégrer et de participer aux grands débats de société — comme nous l'avons vu dans la première partie. On entend de la bouche d'un Tariq Ramadan : « Il n'y a pas de conscience islamique sans conscience sociale. Il n'y a pas de conscience sociale sans conscience politique. » Hassan Iquioussen, conférencier de l'UOIF qui a également énormément de succès auprès des plus jeunes, le dit sous cette forme : « Plus tu es musulman, plus tu es citoyen. Plus tu es citoyen, plus tu es musulman. » Pour des jeunes à qui l'on demande sans cesse de faire un choix entre les deux identités qui les structurent pourtant profondément, ce discours constitue un vrai soulagement. Mais cela conduit également à un « islam politique », et le mélange entre religion et politique est toujours dangereux, c'est cela qui peut mener à l'islamisme...

S.K. : L'islamiste ne fait pas de politique, il cherche la prise de pouvoir de l'appareil politique. Politique entraîne débats, échanges, confrontations d'idées... L'islamiste n'a pas besoin de politique puisque son but est la mise en place d'une pensée totalitaire. Au contraire, les discours dont tu parles poussent les jeunes à la citoyenneté et à la politique, au sens noble du terme. Je ne vois pas en quoi cela pourrait poser problème. Lorsque François Bayrou se revendique chrétien, il n'est pas pour autant évincé de la scène... Faire de la politique à partir de sa référence musulmane ne présente aucune particularité : c'est proposer un point de vue sur des débats de société dans un contexte démocratique où chacun apporte ses arguments pour faire avancer la grande machine.

Lorsque nous parlons de « vision globale de l'islam », cela ne veut pas dire que nous voulons l'imposer à tous. La religion existe à tous les niveaux de notre propre vie en tant que musulmans, mais cela nous concerne personnellement, on ne veut pas l'imposer aux autres. Cela irait d'ailleurs contre l'islam, qui insiste sur la richesse de la diversité que Dieu a créée : « Si Dieu avait voulu, certes, il aurait fait de vous tous une seule communauté. Mais Il veut vous éprouver en ce qu'Il vous donne. Concurrencez donc dans les bonnes œuvres... » (Coran, 5/48) ; « Nous avons fait de vous des nations et des tribus pour que vous vous entreconnaissiez. Le plus noble d'entre vous, auprès de Dieu, est le plus pieux... » (Coran, 49/13).

D.B. : La doctrine initiale des Frères musulmans visait l'islamisation de l'État pour lutter contre l'impérialisme anglais, pour combattre la colonisation : il est vrai que vous n'êtes pas dans ce registre. Certains jeunes sont même persuadés que le contexte laïque leur procure de meilleures conditions pour vivre en conformité avec l'éthique musulmane, que le régime de certains pays arabes dictatoriaux dits musulmans. Il s'agit là aussi de la naissance d'un positionnement typiquement français, qui superpose une approche globale de l'islam à une société strictement laïque.

S.K. : Absolument, mais toujours en résonance avec la situation internationale, on nous accuse de « faire semblant » d'accepter le cadre républicain. Notre respect de la laïcité ne serait qu'une stratégie momentanée, pour mieux nous imposer une fois qu'on aurait réussi à prendre le pouvoir. Tous les politiciens qui nous demandaient pendant des années une adhésion profonde à la citoyenneté nous suspectent à présent d'avoir récupéré cette notion à d'autres fins. Comme nous n'avons pas abandonné l'islam dans notre citoyenneté, ils nous accusent d'élaborer une ruse politique, à l'image d'un entrisme qui ne dit pas son nom. Nous serions en train d'élaborer une prise de pouvoir, sur le modèle de la technique des Frères musulmans : l'« islamisation par le bas » — auprès des jeunes — serait la première étape d'un projet politique d'État musulman, la révolution islamique en constituerait la seconde étape. On revient au fameux postulat d'incompatibilité entre l'islam et la démocratie. Dès lors que l'on ne renie pas son islam, on est suspecté de vouloir islamiser la France.

D.B. : Aux yeux des institutions françaises, la seule façon d'être citoyen et musulman en France passe par l'abandon d'un « islam politique » et l'acceptation d'un islam réduit à ses dimensions minimales, au rituel dans le domaine privé et à une pratique figée, sans revendications sur le plan social.

S.K. : C'est ce qu'ils appellent un « islam tolérant », quel que soit son degré de modernité et d'ouverture... C'est le fameux islam de nos parents, maintenant appelé « traditionnel », qui est devenu rassurant alors qu'à l'époque il était tout autant accusé d'archaïsme. Ce qui est important du point de vue des politiques, c'est que l'islam reste à l'intérieur des murs des maisons. Peu importe ce qui se passe en son nom au sein des familles, entre musulmans : le principal, c'est que cela ne déborde pas dans la société.

De la communauté aux valeurs communes

Petit à petit, nous nous sommes rendu compte que la discrimination est un problème général et ne date pas de l'islam. Avant, on parlait de bougnoules et de négros. Du coup, on a eu envie de réagir sur toutes les discriminations, qu'elles concernent le citoyen au nom de son faciès, de sa pauvreté, de sa religion... On refuse de vivre dans une société où l'on va gérer le droit en fonction des origines des gens. S'il y a des musulmans discriminés, au fond, c'est un problème de la société globale : cela fait partie du droit commun. De fil en aiguille, à force de rencontrer d'autres types de militants, nous avons réalisé que l'important, c'était de défendre des valeurs auxquelles on croyait et non une communauté en tant que telle. Et on a décidé de travailler sur des valeurs communes avec les autres et non pas sur notre identité. Il fallait une certaine maturité pour y arriver, mais c'est acquis.

C'est pour cette raison qu'on a créé l'association DiverCité, avec d'autres types de militants : des verts, des mouvements citoyens, différents partis politiques. La création de ce collectif, c'est justement pour dépasser largement la défense de nos propres intérêts musulmans-musulmans dans un projet de société avec d'autres, bien au-delà de la question de l'islam. Aujourd'hui, les organisations ne jouent plus le rôle d'avant. Si nous-

mêmes, les citoyens, on ne s'organise pas pour bousculer un peu les partis, si on ne prend pas l'affaire en main, ça ne bougera jamais. Un réseau est en train de s'organiser autour d'un véritable projet. Depuis six ans, on parcourt la France du nord au sud, de l'est à l'ouest, en créant des débats, pour parler avec des gens, pour créer une alternative aux formes traditionnelles de militantisme, que ce soit associatif ou politique.

Une certaine partie de la communauté musulmane ne nous comprend pas. Déjà, il avait fallu se battre auprès de l'ancienne génération pour que des jeunes en difficultés, toxicomanes et délinquants, puissent pénétrer dans les lieux de prière... On avait obtenu gain de cause parce qu'ils avaient fini par comprendre qu'on avait un rôle d'exemple important à jouer. Mais cette fois, nous sommes carrément partenaires avec d'autres adultes qui ne croient pas en Dieu, qui mangent du saucisson pendant les réunions, boivent de la bière et fument parfois du haschich... et qui le revendiquent comme mode de vie ! Certains musulmans se demandent ce qu'on fait avec ces gens-là. Pourtant, ce qui nous lie est fondamental : le commerce équitable, la protection de la planète, l'antimondialisation, la démocratie !

Du côté des institutions, beaucoup sont déstabilisés et essaient de nous cantonner à l'islam. Par exemple, celui qui a une référence catho peut représenter l'association DiverCité. Celui qui a une référence humaniste aussi. Mais moi je ne peux pas. Je dis aux journalistes que je leur parle en tant que membre du conseil d'administration de DiverCité, ils acquiescent, mais le lendemain, ils me présentent dans leur journal comme musulman. De manière générale, on se rend compte que bon nombre de politiques préfèrent rencontrer les associations dans le cadre communautaire plutôt que dans des cadres citoyens. On fait peur parce qu'ils ont bien compris qu'on les remet en cause. Moi, si je suis ministre, entre soutenir une association qui demande un lieu pour prier en restant dans son coin et une autre qui dit bien fort : « Nous, on veut être comme vous, on veut sortir des banlieues, on veut habiter les pavillons comme vous, être ministres comme vous... », le choix est vite fait.

En plus, la lutte contre l'intégrisme a quelque part un aspect économique. Certains ont tiré profit de l'effroi qui règne à propos de l'islam, surtout dans une région comme celle de Lyon où ce problème est réel : ils ont fondé leur notoriété sur la peur de l'intégrisme. Ils ont été sollicités pour éclairer nos anciens comportements sur le terrain, à un moment où personne ne maîtrisait quoi que ce soit, lors de la révolution iranienne. Aujourd'hui, ils n'ont aucun intérêt à ce que notre évolution soit reconnue. Toute leur argumentation s'effondrerait, entraînant leur perte de crédibilité auprès des médias. Je n'aimerais pas être à leur place quand tout le monde finira par comprendre ce qui s'est passé.

Yamin, 36 ans, directeur
d'une maison d'édition musulmane[4].

D.B. : Les désillusions du mouvement beur et de la politique de la ville n'ont pas amené les jeunes Français de confession musulmane à renoncer à la participation civique. En construisant sur le terrain des actions sociales, culturelles, éducatives et citoyennes par le biais d'associations, vous avez élaboré de nouveaux moyens d'influence. En forçant les autorités politiques locales et régionales à s'expliquer périodiquement, à rendre des comptes, à prendre des engagements, vous avez joué un rôle politique. En organisant des débats publics sur des sujets de citoyenneté, vous avez proposé un espace de délibération entre les différents acteurs du quartier ou bien au-delà. En fait, vous avez ni plus ni moins essayé d'instaurer par le bas ce que les grands frères avaient essayé d'instaurer par le haut, en faisant appel à l'opinion publique et au gouvernement Mitterrand. Il s'agit pour vous de faire partie de la société et d'influer sur elle. Le problème, c'est que depuis quelques mois, vous vous rendez compte que les échelons locaux et régionaux constituent un barrage réel à la mise en place d'une dynamique citoyenne efficace. Si je comprends bien, vous avez rejoint l'association DiverCité dans cette optique. L'un de vos objectifs est de contourner les obstacles locaux afin d'initier une réflexion citoyenne et politique nationale.

L'autre aspect intéressant et novateur de DiverCité, c'est que — comme l'indique nettement Yamin dans son témoignage — il s'agit de défendre des valeurs communes avec d'autres types de militants et de sortir des revendications exclusivement liées à l'islam et aux musulmans. Vous avez réalisé que la visibilité de l'islam pouvait être une arme à deux tranchants. Si la possibilité de vous « montrer musulmans » a pu constituer pour vous la preuve que vous étiez « ici chez vous », le danger de vous voir réduits au domaine religieux s'est vite confirmé. Il vous faut veiller à ne pas vous laisser circonscrire au seul domaine musulman sans pour autant renoncer à votre référence musulmane. C'est au contraire au nom de votre éthique musulmane que vous revendiquez d'intervenir sur des sujets divers et variés. La reconnaissance pour laquelle vous vous battiez depuis vos luttes associatives passait par celle de l'islam mais ne peut être réduite à cette dernière, au risque de vous voir assignés à une problématique et à une place prédéfinies qui dispensent les politiques de vous laisser accéder aux procédures démocratiques de droit commun. Vous réalisez que l'augmentation de droits concernant la pratique du culte musulman ne révèle pas forcément une prise en compte de l'égalité que vous revendiquez, mais s'inscrit dans une relation où les autres vous disent encore ce qui est « bien pour vous ».

S.K. : D'une manière générale, on se rend compte que l'islam sert de prétexte pour nous évincer des débats qui nous concernent en tant que citoyens. En même temps, on réalise que le blocage dont on souffre ne touche pas uniquement les musulmans. Il trouve sa source dans l'imaginaire collectif lié à tout ce qui est non européen. Notre situation ne pourra évoluer que si le problème des discriminations et des inégalités en général est réglé. DiverCité est un collectif d'associations d'horizons très divers qui a été créé pour que tous les militants unissent leurs forces. Que ce soit au nom de Dieu, au nom d'un parti politique, au nom de l'humanisme, ce qui est important, c'est que les membres de DiverCité soient unis autour de valeurs comme la démocratie, l'antimondialisation, la justice, la lutte contre la discrimination, etc. Nous ne sommes pas dans une logique de contestation mais dans une logique de proposition. Nous voulons — toujours et encore — participer à des dynamiques de construction de société.

D.B. : En adhérant à DiverCité, vous tentez de recentrer les débats autour d'un projet commun. Vous prenez conscience que la donnée « islam » parasite les vrais débats en les orientant sur l'opposition laïque/religieux. Sortir de l'enfermement dans la référence musulmane devient pour vous primordial pour agir efficacement, justement pour rester fidèles à vos valeurs musulmanes telles que vous les concevez.

S.K. : Mais les choses ne sont pas simples, l'exemple que je viens de vivre l'illustre parfaitement : j'ai été amenée à participer — en tant que membre de DiverCité — à des réunions du Conseil lyonnais pour le respect des droits[5], qui est un organe paramunicipal consultatif ayant pour vocation de réfléchir sur la question des droits des personnes. Nous y abordons différents thèmes comme la vidéo-surveillance, le négationnisme et le racisme à l'université Lyon-III, la relation justice et sécurité, le logement, la précarité, etc. Je siège à deux commissions : « Justice et sécurité » et « Famille et logement ». D'autres membres de DiverCité siègent dans d'autres commissions. Le principe est que chaque membre d'association adhérente choisit les commissions dans lesquelles il souhaite s'investir.

La vice-présidente d'une des associations membres — Regards de femmes, association féministe lyonnaise — a refusé de continuer à participer à ce Conseil tant que j'y étais, parce qu'elle ne supportait pas mon foulard. Elle motive sa réaction dans le journal *Libération* en estimant qu'en le portant, je suis « complice de la domination masculine et donc des viols collectifs avec actes de barbarie ». Le journaliste écrit qu'elle va jusqu'à comparer le foulard à l'étoile jaune. Elle a réitéré ses propos dans le magazine *Lyon Femmes*, estimant que « le foulard et les viols collectifs relèvent du même mépris pour les femmes ». Enfin, elle estime que cette commission extramunicipale étant financée par la mairie, il y a une obligation de laïcité et de neutralité et s'interroge : « Est-ce que nous sommes toujours dans l'espace républicain français ? »

Il est important de rappeler que l'objectif de cette instance est de s'intéresser à des problèmes rencontrés par les citoyens de ce pays et de proposer des alternatives, des solutions, des approches, qui permettraient de leur trouver une issue. C'est dans cette optique que je m'y suis jointe. Là encore, alors qu'il n'est nullement question d'islam et que je siège au titre d'un collectif laïque composé d'associations diverses et variées, on me réduit à mon foulard. Et quel foulard ! Un foulard « étoile jaune » complice de viols ! Qu'ai-je fait pour cela ? J'ai osé m'asseoir à la table du Conseil lyonnais pour le respect des droits en tant que citoyenne française tout en gardant ma part musulmane. Et, de ce fait, on me rend responsable de situations que je suis la première à dénoncer. Lier le port du foulard à l'étoile jaune et au viol est une accusation grave. C'est de plus manquer de respect à ceux qui en ont été victimes. Je manque de mots pour parler de ce que les juifs ont subi. Et le crime de viol ne date pas de l'immigration. Il n'est pas commis qu'à l'intérieur des banlieues ! Aucune religion ne peut être mêlée à ça. D'ailleurs, il n'y a qu'à voir les viols collectifs commis par des garçons de bonnes familles françaises dans les quartiers huppés avec la « pilule du violeur », qui préoccupent actuellement les médecins.

Dans ces conditions, comment arriver un jour à prouver que l'islam n'est pas incompatible avec les valeurs de notre République démocratique, qu'il ne s'oppose ni à la laïcité, ni à la citoyenneté, ni aux Droits de la femme, ni aux Droits de l'homme, si on doit le laisser à la porte pour participer aux grands débats ? Les foulards portés au sein des ghettos ne dérangent personne. C'est quand on parle d'égale à égale que cela pose problème. Ma présence peut pourtant désamorcer les amalgames qui font souffrir tant de femmes et inciter celles qui hésitent encore à se battre pour leurs droits. Ma participation en tant que citoyenne à la construction d'un projet commun ne peut dépendre du bon vouloir de certains qui, parce qu'ils se trouvent en position d'autorité et s'estiment les seuls héritiers d'une certaine France, font du droit le privilège de certains.

D.B. : En fait, vous faites beaucoup plus qu'affirmer qu'il n'y a pas d'incompatibilité entre islam et citoyenneté. À la différence des « années beurs », vous ne reprenez pas le concept de citoyenneté tel qu'il est traditionnellement conçu dans l'histoire de France : c'est comme si vous l'aviez « désethnicisé » lui aussi, vous en faites une notion politico-philosophique transversale qui se construit au-delà de l'histoire et de la civilisation françaises. Autrement dit, vous remettez en cause l'idée selon laquelle le concept de citoyenneté ne serait que le produit de l'histoire de France.

Quand tu te présentes — au titre d'un mouvement citoyen et politique — à ce Conseil lyonnais sur le respect des droits avec ton foulard, tu t'appropries la citoyenneté en la reliant à des loyautés différentes de celles issues de la stricte histoire française. C'est comme si tu disais — et d'ailleurs tu le dis : « Il n'y a pas que l'histoire de France et la culture française qui mènent à la citoyenneté. L'islam aussi conduit à ça. On ne peut être un bon musulman si on n'est pas un bon citoyen. » En clair, tu revendiques le fait que la notion de citoyenneté soit comprise dans ta référence musulmane et pas uniquement dans les valeurs dites françaises. Tu n'as pas besoin de te défaire de ta religion pour y accéder. Tu n'as pas besoin de t'« assimilier » pour devenir complètement française.

Tu ébranles du même coup les bases du système d'intégration, l'histoire du modèle de citoyenneté, ainsi que les bases mêmes sur lesquelles s'est construite la France : la supériorité de sa langue et de sa culture ! N'oublions pas que le premier objectif de l'école laïque, obligatoire et gratuite, était la francisation de la masse des petits paysans qui passait notamment par l'acculturation via la seule langue française, le grand fonds commun ancestral gaulois, les lignées des héros guerriers et les œuvres des grands hommes d'État catholiques... Déjà à l'époque, l'unité de la nation a été construite autour d'une culture dominante qui gommait le souvenir de représentations du monde différentes véhiculées par d'autres langues ou dialectes régionaux et les codes de sociabilité qui n'étaient pas ceux de la culture scolaire. La Révolution ne fit que consolider dans les couches dirigeantes l'idée que la langue et la culture dans laquelle s'était inscrite la Déclaration des droits de l'homme et du citoyen étaient marquées du sceau de l'universel. D'autant que la Révolution mettait fin à trois siècles de persécutions des protestants et des juifs.

Cette idée de supériorité de la langue et de la culture a servi à justifier les entreprises coloniales. Il fallait « aider » ces peuples, civiliser les indigènes et leur islam avec le cas échéant. C'était une mission universelle. Le système d'intégration en est également issu : tous ceux qui utilisent sa langue et qui adhèrent à sa culture peuvent être intégrés à la collectivité nationale française en tant que « citoyens ». Les minorités disparaissent en tant que particularismes en adhérant aux valeurs d'universalité de la République.

Vos positions bouleversent toute cette histoire ancestrale puisque vous adhérez aux valeurs universelles de la République en affirmant qu'elles sont proches de celles transmises par votre religion. Vous n'êtes plus une minorité qui — tels les Corses et les Bretons — demande à être reconnue dans ce contexte de mondialisation ravivant des angoisses identitaires. Vous ne présentez plus l'islam comme un particularisme mais comme une référence supplémentaire qui rejoint les autres en les renforçant. Ce raisonnement place l'islam au même niveau que les autres références qui fondent l'identité française.

Vous revendiquez le droit de pouvoir utiliser — ou montrer — éventuellement votre référence musulmane comme n'importe quelle autre option légitime dans les débats publics, ce qui n'est pas encore accepté. Deux femmes ont vécu une expérience similaire à la tienne, à l'université Paris-XIII. Elles font partie des quinze représentants élus par l'ensemble des étudiants. Du fait qu'elles sont voilées, les enseignants ont constitué une commission dite « de laïcité », estimant qu'elles n'étaient pas capables de représenter l'intérêt général !

Après avoir remis en cause la vision dominante de la religion réduite à la confession, vous introduisez une nouvelle conception de l'espace public au regard de la tradition française : cet espace ne serait plus seulement hautement organisé par l'État[6], imprégné de valeurs et de références issues de l'histoire et de la civilisation françaises, mais serait l'illustration qu'il n'y a plus « une seule façon d'être français ». Dans cette logique, Mohamed serait aussi français que Jean-Pierre, toi avec ton foulard aussi française que ma collègue avec sa croix, et le jour de l'Aïd férié comme Noël*.

C'est remettre en cause l'ensemble du mode de relations issues de la colonisation entre les Français et les membres des anciens pays colonisés, période à laquelle le statut « spécifique[7] » du musulman remonte, les représentations de l'islam comme système de valeurs inférieures et archaïques, et interroger la définition même de l'identité française.

---

* C'est ce que réclament un certain nombre de jeunes : « On ne veut pas l'Aïd que pour nous, on veut que ce soit une fête nationale : partager tous ensemble l'Aïd — et Hannouka c'est normal — comme on partage Noël ! »

L'islam, révélateur d'une gestion encore coloniale

Par « démocratie participative », en fin de compte, ils entendent « participation contrôlée »... Dès le départ, les institutions te disent : « C'est dommage, les gens ne s'investissent plus », et pourtant, ils ne supportent pas que les habitants deviennent indépendants... Ici, ils ont un groupe de pères et un groupe de mères qui discutent depuis dix ans sur la parentalité. On ne leur a jamais délégué aucune tâche : ni photocopies, ni choix d'un sujet, ni rien... On ne leur a jamais proposé de se prendre en main. C'est ce qu'on fait, nous, et ça marche très bien : les parents ouvrent les locaux, ils font eux-mêmes leur comité de rédaction, etc. Ces groupes de parole animés par la mairie, pourquoi est-ce qu'ils ne se montent pas en association ? Le chef de projet répond que c'est leur choix ! Ça ne veut rien dire ! C'est faux ! Si tu proposes le même jour une conférence sur les enjeux de la mondialisation et une sortie au Parc Astérix, tu peux être sûr que les gens vont choisir de s'amuser ! Mais si tu les sensibilises et les orientes un petit peu, en leur donnant des éléments de choix, ils vont réfléchir. Et justement, on fait tout pour que les gens réfléchissent le moins possible... Nous, responsables d'association musulmane, on nous tolérait tant que nos actions passaient systématiquement par la mairie. Lorsque nous avons commencé à vouloir com-

prendre comment ça marchait et à demander de la transparence sur certains fonctionnements, sur certains projets municipaux, on a été considérés comme des perturbateurs qui mettaient en péril la République !

Dans un quartier résidentiel, quand un syndic se monte en comité consultatif pour convoquer les élus afin d'exiger un dos d'âne ou changer l'heure du passage des poubelles, c'est une preuve d'autonomie citoyenne. Quand on en demande le quart, on nous sort : « Vous crachez dans la soupe, on vous en donne un petit peu et vous en voulez toujours plus ! » Ce qu'ils préfèrent, quoi qu'ils en disent, c'est qu'on ait une barbe et qu'on se replie chez nous ou entre nous. Le bon citoyen musulman, pour les politiques, c'est celui qu'on convoque deux jours avant la fête du quartier pour qu'il fasse un stand de dégustation de couscous ! Ou un méchoui, au choix !

Avec la droite au pouvoir, il va y avoir un tournant. Comme ils sont moins rigides sur la question de la laïcité, ils vont permettre plus de visibilité de l'islam en France et répondre favorablement à la mise en place de certains droits. Mais on va vite s'apercevoir que cela ne réglera rien : ils n'accepteront les manifestations visibles que si elles sont soumises. Aucune visibilité ne sera tolérée si elle est critique. La droite est moins stricte sur la forme, mais sur le fond, la vision colonisateur-colonisé, dominateur-dominé, est toujours prédominante. Le vrai problème, c'est celui de la soumission. Les hommes de gauche savent la cacher. Ils l'enduisent de laïcité et de valeurs républicaines. Ils utilisent un masque. C'est au nom de la laïcité qu'ils continuent à être dominants. Chez certains hommes de droite dans notre région, c'est beaucoup plus choquant. Il y a des réunions où il faut sortir pour ne pas craquer. Ils nous prennent vraiment pour des indigènes. Avec la gauche, il y avait le discours et ensuite il y avait la réalité de terrain : de belles théories et puis la discrimination totale dans la réalité. Mais ils se sont intéressés au passé. Même s'ils ont mal lu, ils ont essayé de comprendre. Avec eux, il fallait corriger. Avec la droite, il n'y a rien à corriger, on part de zéro. Ils ont une vision des musulmans en dessous de zéro. Ce qui est sûr, c'est qu'avec la droite, il n'y aura pas de déception. Leur discours est en adéquation avec leur action. Une élue vient rencontrer notre association et nous annonce : « Je vous connais, je vous ai déjà rencontrés l'année dernière. » Comme nous ne l'avons jamais vue, nous nous demandons de quoi elle parle, jusqu'à ce que l'on finisse par comprendre qu'en fait, elle s'est entretenue avec d'autres musulmans quelques mois auparavant ! Ce n'est pas nous qu'elle a rencontrés ! Pour elle, en rencontrer un, c'est les avoir tous vus. On est tous les mêmes. La vision indigène totale ! Un autre va nous expliquer qu'il nous défend : « Les gens me disent : "Les Arabes ceci, les Arabes cela..." Et moi je réponds : "On ne va pas tous les jeter dans le Rhône quand même ! Laissez-moi faire, je m'en occupe !" » Un troisième nous raconte que lorsqu'il est parti en Turquie, il s'est « tenu à carreau »... Il n'a toujours pas compris que nous, nous ne sommes pas en vacances ici ! C'est fou d'en être encore là !

Salim, 31 ans, militant associatif.

D.B. : La question de fond, c'est que vous exigez une participation égalitaire et vous vous donnez les moyens d'y arriver en organisant votre lutte. Le paramètre « islam » apparaît comme révélateur d'un fonctionnement normatif dans la continuité « ancien colonisé/ancien colonisateur ».

S.K. : Fonctionnement également largement ressenti par les Maghrébins non musulmans ou non pratiquants. Boualem, ancien militant du JALB (Jeunes Arabes de Lyon et des banlieues), pourrait témoigner de la frustration ressentie en 1999, lorsque l'un des plus grands colloques sur la politique de la ville a été tenu à Vaulx-en-Velin même, sans avoir convié la moindre association de quartier parmi les neuf cents invités ! Les préfets et ministres étaient réunis pour parler d'eux sans eux. Lorsqu'ils ont appelé le cabinet de Martine Aubry qui était à l'époque ministre, ils ont obtenu quatre places. Évidemment, ils y sont entrés en force à quarante. Une fois à l'intérieur, ils ont réalisé que personne n'avait prévu de leur laisser la parole. Alors ils ont pris la tribune de force pour lire le discours qu'ils avaient préparé toute la nuit. La réaction des politiques a été de leur envoyer deux personnalités d'origine maghrébine pour les amadouer : un chercheur d'origine marocaine, Adil Jazouli, et un sous-préfet typé « basané » ! Une gestion de type ethnique. Les anciens sauvages parlent aux sauvages ! C'était leur dire : « Vous êtes révoltés parce que vous êtes des Arabes », au lieu d'entendre leurs revendications de participation !

Ce principe de gestion ethnique date de la colonisation : on est des gens à part, on se comprend entre nous... Et c'est insupportable d'être rejeté ou même choisi par rapport à son origine ethnique. C'est le projet de société de Le Pen que de distribuer des droits aux gens selon leur origine... Le pire, c'est que, comme en témoigne Salim, ceux qui vivent dans les quartiers portent eux-mêmes ce stigmate hérité de la colonisation, une autocensure sur leur capacité à être égaux et à faire des choses tout seuls.

D.B. : Dix ans après la lutte pour la visibilité de l'islam, vous ouvrez une nouvelle bataille destinée à ne pas vous laisser enfermer dans votre origine ethnique, votre présumée culture familiale, votre statut d'enfants de migrants... Combattre toute forme d'ethnicisation devient pour vous primordial. Cette approche bouscule les habitudes dans la mesure où vous continuez à rappeler votre référence musulmane, ne serait-ce que par la dénomination « Français de confession musulmane ». Or l'islam a toujours été jusque-là considéré comme une spécificité sur le fond et traité de manière spécifique dans la forme. Le Français qui refuse d'occulter sa référence musulmane est considéré comme exclusivement musulman. Or, comme nous l'avons déjà noté, vous n'êtes plus du tout dans une revendication d'un droit à la différence mais au contraire dans la démarche de démontrer que l'islam n'est pas si différent que ça, qu'il peut conduire à des valeurs communes même s'il prend un chemin différent pour y arriver.

Auparavant, d'un côté, les musulmans créaient des structures dans l'objectif de défendre leurs droits ; de l'autre, les grandes associations antiracistes ou luttant contre la discrimination ne se sont jamais vraiment préoccupées de l'islam. Vous revendiquez l'existence d'un cadre de droit commun qui lutte contre la discrimination musulmane au même titre que n'importe quelle autre discrimination, ce qui a pour effet de la placer symboliquement au même niveau que les autres.

Si, pendant un temps, la visibilité de l'islam a constitué un obstacle dans les relations avec les pouvoirs publics, notamment parce qu'elle était vécue comme une remise en cause du principe républicain de séparation des espaces privé/public, c'est plutôt la volonté de se poser d'égal à égal *avec* sa référence musulmane qui est à présent source de conflit. La demande d'égalité dépasse la question religieuse : il ne s'agit plus d'égalité de traitement demandé *en tant que musulman*, mais d'une égalité pure *en tant que citoyen français*, de la même égalité pour tous, que l'on se réfère à l'islam ou à n'importe quoi d'autre.

S.K. : Pour leur refuser le droit de vote, on reprochait à nos parents et à nos grands-parents leur arrivée récente et leur nationalité étrangère. Maintenant, on suspecte notre citoyenneté parce qu'on nous juge « trop musulmans » pour pouvoir être des citoyens français sincères. Quand tu regardes bien, tu te rends compte que les arguments mis en avant pour nous exclure tournent toujours autour de deux reproches principaux : on serait « incapables » — pas assez mûrs, pas assez civilisés en quelque sorte — et on n'appartiendrait pas vraiment à la nation. Ce sont les mêmes prétextes que ceux qui ont été utilisés pour les esclaves et les femmes lorsqu'ils étaient eux aussi exclus du politique[8]... L'histoire de l'Occident s'est bâtie sur l'idée qu'il y avait des êtres inférieurs, en tous les cas « sous-citoyens », de seconde zone. Tout ce que nous demandons, c'est qu'on applique le principe d'égalité de la Constitution française.

Avec DiverCité, c'est ce que nous essayons de construire. Un mouvement citoyen qui tire sa légitimité de sa composition : le plus important, pour nous, c'est l'indépendance totale. Nous refusons une citoyenneté téléguidée par un pouvoir politique. Il faut que ça vienne de la base pour que chacun puisse s'y reconnaître à valeur égale. L'histoire s'est toujours faite comme ça. Ce sont les luttes des minorités qui ont fait avancer la société. Le président explique inlassablement aux journalistes qu'on s'inscrit non seulement dans l'histoire de la marche des beurs, mais aussi dans celle du Smic obligatoire, du droit de vote des femmes, de l'autodétermination des peuples... Ce ne sont pas les patrons qui ont décidé les congés payés. Aujourd'hui, la gauche s'est notabilisée, elle est devenue un courant social-démocrate un peu flou et a renoncé à sa propre histoire. C'est ça qu'elle a payé aux élections. Il y a un espoir dans la création de mouvements citoyens qui vont reprendre le flambeau d'une nouvelle démocratie, il n'y a pas d'autre issue.

Mais même lorsqu'on ne parle plus d'islam, notre lutte politique n'est pas facilement acceptée. À cause de notre présence, DiverCité est discréditée, pour ne pas dire diabolisée. Autant son président — pas du tout musulman —, longtemps chef de projet sur la ville de Grenoble, était une figure emblématique de Lyon reconnue par toutes les institutions lorsqu'il tenait la présidence de l'association laïque Agora, autant il est maintenant suspecté d'angélisme. Les instances politiques et institutionnelles locales considèrent qu'il s'est laissé manipuler et que l'association DiverCité s'est fait récupérer par des musulmans en quête d'une stratégie de plus pour mettre en place leur projet d'islamisation.

D.B. : Votre évolution est assez atypique car, en fait, vous êtes passés par l'islam pour vous franciser et pour devenir citoyens français à part entière. Même si certains d'entre vous ont éprouvé quelques hésitations au début de leur adhésion religieuse et que certaines positions vont probablement encore mûrir, votre inscription dans la citoyenneté se distingue nettement d'une adhésion à un islam transnational politique, que vous vous mettriez en quête d'appliquer et d'instaurer sur le territoire français. La confusion vient du fait que beaucoup de jeunes – ou de moins jeunes – recourent à cette notion d'islam transnational pour se détacher de leur origine ethnique. C'est pourtant, comme nous l'avons déjà abordé dans la première partie, cette appréhension d'un « islam désethnicisé » — on peut être musulman quelle que soit son origine ethnique — qui vous a permis de vous construire comme français, et ensuite de revendiquer une citoyenneté comme n'importe quel autre citoyen. Cela revient à dire que c'est paradoxalement en vous déterminant musulman que vous avez pu vous reconnaître dans la nation française. Ce n'est donc pas l'inscription dans un islam transnational qui vous a amenés à la politique. La revendication de l'islam vous a permis de vous « franciser ». Et ce n'est qu'à l'étape suivante, à partir du moment où vous vous êtes sentis français, que vous êtes entrés en politique. Le passage par l'islam ne doit pas occulter que c'est bien en tant que français que vous vous politisez et non en tant que musulmans. Là réside la grande différence avec une grande quantité de mouvements qui font de la politique au nom de l'islam...

Jusqu'à présent, il y avait les beurs qui avaient laissé de côté leur référence religieuse pour pouvoir exercer leur citoyenneté et de l'autre des musulmans qui s'étaient mobilisés sur des stratégies de type collectif — pour ne pas dire communautaire —, estimant qu'ils vivaient des problèmes similaires de par leur même origine et leur même religion. Dans les deux cas, l'islam était considéré comme une référence étrangère. Ceux qui la mettaient en avant remettaient en cause le concept de citoyenneté strictement lié à l'État-nation.

Vous revendiquez de faire appel à l'islam comme à une référence française[9]. C'est dans cette mesure que vous vous inscrivez dans le cadre citoyen traditionnellement défini — national — qui comprend dorénavant l'islam. Le concept de citoyenneté se détache de celui de civilisation, dans la mesure où vous revendiquez le droit d'élaborer votre identité personnelle à partir de plusieurs appartenances. En refusant d'être définis complètement par l'une d'entre elles — français *ou* musulman — vous redéfinissez non seulement les critères d'intégration et les références qui peuvent vous être offertes pour construire du sens et accéder à une citoyenneté, mais aussi la conception même de « Qu'est-ce que c'est être français ? ».

Dans votre logique, la lutte contre la discrimination vis-à-vis des musulmans se fait naturellement au nom des valeurs citoyennes et n'est plus réduite au respect de la liberté de religion. C'est en tant que français que vous défendez le respect de l'islam. L'intégration de cette référence dans le patrimoine français n'est plus votre affaire personnelle. Votre lutte consiste à se battre pour développer une démocratie dans laquelle l'intégration de la référence musulmane à la nation française devienne l'affaire naturelle de tous.

III.

CE QUE DIT L'ISLAM SUR LES FEMMES

Notions générales

Quelques mots génériques

Islam : quel est le sens exact de « islam » ? Le *Inch'Allah* (Si Dieu veut) du musulman est parfois surprenant pour ceux qui le côtoient. Ils ont le sentiment que leur ami n'est jamais responsable de ses décisions ou de ses actes. Pour ce dernier, cette invocation rappelle la présence de Dieu au-dessus de lui. Cela ne signifie pas qu'il n'a pas d'intention personnelle, mais qu'il espère, grâce à Dieu, pouvoir réaliser ce qu'il souhaite. Les musulmans répètent souvent des expressions de ce type : *Hamdoulillah, Bismillah...* Ils remercient Dieu dès qu'ils le peuvent, lorsqu'ils mangent, lorsqu'ils dorment, lorsqu'ils vont faire quelque chose d'important... C'est comme le fameux *Allah Oukbar*, qui est avant tout un signe de soumission de la part du croyant devant son Dieu. Quant à la racine *istislam*, elle signifie : se soumettre, déposer les armes pour mettre fin à l'état de guerre. Alors que trois cent soixante dieux et déesses règnent alors en Arabie et provoquent de violentes confrontations entre tribus, la philosophie principale de l'islam repose sur l'établissement d'un contrat social qui a pour but de garantir la paix par l'union autour d'un seul dieu.

Inch'Allah : pour le musulman, il ne peut découler de Dieu que le bien. Passer par Sa volonté n'est pas une preuve de faiblesse mais d'humilité. L'être humain reconnaît qu'il n'appréhende pas tout. Il a besoin de Dieu pour mener à bien ses projets parce qu'il est convaincu qu'Il est avec lui. Le musulman agit de manière à réaliser les objectifs qui sont les siens, mais n'oublie pas que le résultat sera obtenu avec l'aide de Dieu. Le soutien de Dieu sera à la mesure des efforts consentis par le croyant. Les moyens appartiennent aux hommes, le résultat appartient à Dieu. Dire « Si Dieu le veut », c'est accepter l'idée que tout ce que l'on veut n'est pas forcément souhaitable, mais que l'on s'en remet à Celui qui nous veut du bien, à Celui qui sait. Le musulman, quand il a confiance en Dieu, a forcément confiance en lui, parce qu'il sait que le résultat obtenu ne pourra être que positif.

De Hamdoulillah au « complexe d'Hamdoulillah » : « Merci mon Dieu... » Certains ont du mal à assumer les difficultés rencontrées sur leur route. Persuadés qu'un musulman ne peut avoir des problèmes, ils se sentent obligés de correspondre à une image idéale, mélange de force et de sérénité. S'ils ne parviennent pas à se construire un équilibre de vie grâce à Dieu, ils se reprochent leur incapacité à gérer leur existence. Les paroles du Coran prennent alors une connotation magique, leur simple prononciation semble suffire à se soulager d'un malaise, à se libérer d'une douleur. On se réfugie dans un monde qu'on a construit, où tout est connoté de religiosité. Les mots prennent le pas sur le sens.

Deux sources sacrées

En islam, il y a deux sources sacrées : le Coran, qui réunit toutes les révélations de Dieu entendues par le Prophète Mohamed (PSL), et la Sunna, sorte de registre qui retranscrit les paroles et les gestes du Prophète. Les deux sont importants. On dit que le Coran correspond à la question « Que faire ? » et que la Sunna correspond à « Comment faire ? ».

Pour les musulmans, le Coran est sacré parce que c'est la parole de Dieu. Mohamed (PSL) est alors analphabète mais des scribes inscrivent les versets au fur et à mesure de leur révélation sur des supports naturels (omoplates de chameaux, écorces d'arbres, etc.). D'abord transmis oralement, leur compilation en un seul livre devient nécessaire lorsque l'islam commence à s'étendre en dehors de l'Arabie, d'une part parce qu'on s'éloigne de plus en plus de ceux qui connaissent l'islam et, d'autre part, pour favoriser la diffusion du message dans son entité. Le Coran a d'abord été rassemblé sous le règne du premier calife et la première copie a été achevée un an après la mort du Prophète (PSL).

Quant à la Sunna, elle est composée de hadiths. Ce sont de courts récits rapportés par les compagnons du Prophète (PSL), rendant compte de ses gestes, de ses paroles, de ses habitudes, de ses goûts, de ses opinions, de ses réactions aux événements, de la façon dont il justifiait ses décisions, etc. Leur importance n'apparaît qu'après la mort du Prophète (PSL) : puisqu'on ne peut plus le consulter directement, on cherche à se référer à ce qu'il aurait pu dire ou faire dans telle ou telle circonstance. Cela concerne des domaines très différents : de la vie quotidienne à des pratiques de gouvernement d'une cité. Une méthode stricte est mise en place, afin de vérifier la validité de la chaîne de transmission. On doit savoir par qui le renseignement est passé au fil du temps, car il s'agit là aussi de retranscription orale. Le contenu du hadith doit toujours être accompagné de précisions sur ceux qui l'ont rapporté : l'ont-ils entendu directement de la bouche du Prophète (PSL) ? ont-ils une bonne réputation ? une bonne mémoire ? Selon les réponses à ces questions, on distincte les « hadiths sûrs » et les « hadiths faibles », dont on doute un peu... Cette question est, bien entendu, source de polémiques pour certains savants et spécialistes de l'islam, notamment lorsqu'il s'agit de penser la « réforme » de l'islam.

Le Coran et la Sunna sont donc les deux sources référentielles de l'islam, mais il faut également citer ce qu'on appelle l'*ijma'*, le « consensus », qui est le produit de la réflexion des savants. Il vient juste après, constituant l'un des fondements, reconnus par toutes les écoles de *fiqh* (jurisprudence) qui, elles, sont au nombre de quatre : les malékites, les hanbalites, les hanafites, et les chafiites.

Coran et pédagogie

Les versets sont « descendus » comme une réponse à une situation donnée, conduisant l'être humain à réfléchir sur le principe qui en découle : l'homme comprend mieux quand cela le touche. La longue durée de la révélation du Coran (vingt-trois ans) s'explique par cette nécessité pédagogique. Il fallait laisser du temps pour que les hommes mûrissent leur relation à Dieu.

C'est d'ailleurs pour cette raison qu'à première vue, certaines positions peuvent apparaître contradictoires, si l'on fait fi de ce principe fondamental de contextualisation. Par exemple les premiers versets concernant l'alcool ont commencé par sensibiliser les hommes sur la nocivité du produit : « Ils t'interrogent sur le vin et le jeu du hasard. Dis : "Dans les deux il y a un grand péché et quelques avantages pour les gens ; mais dans les deux, le péché est plus grand que l'utilité"... » (Coran, 2/219). Puis il insiste sur la nécessité de préserver la lucidité du croyant pendant la prière : « Ô les croyants ! n'approchez pas de la *salat* alors que vous êtes ivre, jusqu'à ce que vous compreniez ce que vous dites... » (Coran, 4/43). Enfin, ce n'est que progressivement que l'interdiction totale est affirmée : « Le diable ne veut que jeter parmi vous, à travers le vin et le jeu de hasard, l'inimitié et la haine, et vous détourner d'invoquer Allah et de la *salat*. Allez-vous donc y mettre fin ? » (Coran, 5/91).

Dans le même ordre d'idées, on peut citer la position de Dieu vis-à-vis des juifs et des chrétiens. Un grand nombre de versets protègent explicitement les gens du Livre : « Ceux qui croisent les juifs, les chrétiens — quiconque croit en Dieu et au Jour dernier, et fait œuvre bonne —, pas de crainte sur eux, ils ne seront point affligés » (Coran, 5/69).

D'autres versets expriment la richesse de la diversité et encouragent au dialogue : « Ô vous les gens... nous avons fait de vous des peuples et des nations afin que vous vous entreconnaissiez... » (Coran, 49/13). Les différences entre les peuples sont présentées comme un choix du Tout-Puissant : « Si Dieu l'avait voulu, il aurait fait de vous une seule communauté, mais il en est ainsi afin de vous éprouver en ce qu'Il vous a donné. Rivalisez donc de bonté... » (Coran, 5/48).

Il rappelle à l'ordre tout musulman qui enfreindrait le

principe de justice : « Que la haine envers un peuple ne vous incite pas à commettre des injustices ! Soyez justes ; la justice est proche de la piété. Craignez Dieu ; Dieu est bien informé de ce que vous faites » (Coran, 5/8) « Dieu vous commande la justice » (Coran, 16/90).

D'ailleurs, la codification de la guerre est précise : « Autorisation est donnée aux victimes d'agression (de se défendre), car elles ont été injustement traitées et Dieu est capable vraiment de les secourir » ; « L'autorisation est donnée à ceux qui ont été expulsés injustement de leurs foyers pour avoir seulement dit : "Notre seigneur est Dieu"... » (Coran, 22/39-40). La guerre défensive est permise avec réserve : « Combattez dans la Voie d'Allah ceux qui vous combattent, mais ne soyez pas transgresseurs... » (Coran, 2/190).

Lorsque Mohamed (PSL) s'exile à Médine suite aux persécutions subies à La Mecque, le ton du Coran change. Il s'agit à ce moment-là de protéger le Prophète (PSL) devenu chef politique de tous ses adversaires dans ce contexte guerrier. Les ennemis premiers restent les polythéistes de La Mecque, mais les gens du Livre — alors impliqués — sont aussi visés : « Après que les mois sacrés se seront écoulés, tuez les polythéistes partout où vous les trouverez ; capturez-les, assiégez-les, dressez-leur des embuscades. Mais s'ils se repentent, s'ils s'acquittent de la prière, s'ils font l'aumône, laissez-les libres » (Coran, 9/5) ; ainsi que les traîtres : « Préparez, pour lutter contre eux, tout ce que vous trouverez, de forces et de cavaleries... » (Coran, 8/60) ; « Combattez ceux qui ne croient ni en Allah ni au jour dernier, qui n'interdisent pas ce qu'Allah et Son messager ont interdit... » (Coran, 9/29).

Du côté des femmes

Le Prophète Mohamed et les femmes

C'est vers 570 qu'est né Mohamed (PSL), à La Mecque. Orphelin très tôt, il participe à la vie commerciale de sa cité et entre au service de Khadija, jeune et riche veuve. Il l'épouse bien qu'elle soit de quinze ans son aînée et n'aura pas d'autres compagnes jusqu'à sa mort. À 40 ans — on est alors en l'an 610 — Mohamed (PSL) entend les premières révélations du Coran. Khadija va avoir un rôle important grâce au soutien moral et à la protection qu'elle va octroyer à son mari que peu de gens prennent alors au sérieux.

Ce n'est qu'après la mort de Khadija qu'il épouse d'autres femmes, alors qu'il est devenu un chef politique. Parmi elles, Aïcha fut le grand amour de sa vie. Cette dernière était, tout comme l'avait été Khadija, très active dans la vie de la cité. Elle bénéficiait de la totale estime de Mohamed (PSL), qui incitait les gens à s'instruire auprès d'elle malgré son très jeune âge. Elle a vécu huit ans avec lui et a laissé plus de mille deux cents hadiths. On dit qu'elle n'avait pas peur de manifester son désaccord sur certains points avec les hommes de science de son temps et qu'elle estimait, déjà à l'époque, que certaines positions du Prophète (PSL) étaient déformées par son entourage. Après sa mort, elle a même dirigé une bataille armée.

Beaucoup de musulmanes modernes reviennent aux relations conjugales qu'elle entretenait avec Mohamed (PSL) pour prouver leurs droits. Sur une quantité de points, elles font appel à cet exemple sacré, considéré par les musulmans comme source de l'islam. À ceux qui refusent le sport aux filles, elles rappellent que le Prophète (PSL) organisait des courses avec Aïcha. À ceux qui refusent l'éducation aux filles, elles rappellent que c'est Aïcha elle-même, considérée comme la plus savante après le Prophète (PSL), qui donnait des cours à la société tout entière : les enfants, les femmes et les hommes. À ceux qui s'opposent au travail des femmes, elles rappellent le statut professionnel de Khadija et le rôle d'Aïcha...

Égalité de traitement filles-garçons

Dans toutes les sociétés anciennes, en Égypte, en Perse, en Mésopotamie, en Palestine, en Grèce ou à Rome, on sait combien la vie d'une fille avait moins de valeur que celle d'un garçon... On retrouve dans toutes ces différentes civilisations des poèmes de lamentation que les mères peuvent réciter en pleurant ! Dans certains pays (Inde, Nouvelle-Guinée, îles Salomon), la veuve était donnée à la mort de son mari comme un simple meuble. Dans d'autres pays, on l'étranglait pour la mettre avec lui dans la tombe !

En Arabie, avant la naissance de l'islam, on allait jusqu'à enterrer les filles à la naissance. Le Coran est venu interdire cette pratique et le Prophète (PSL) a complété en instituant un traitement égal par les parents : « Celui qui a une fille et qui ne l'enterre pas vivante, ne l'insulte pas, ne favorise pas son fils par rapport à elle, celui-là, Dieu le fera entrer au Paradis. » Ce hadith, considéré comme authentique, ne s'est pas imposé à la société maghrébine traditionnelle de type clanique. Les jeunes Françaises de confession musulmane le mettent en avant, estimant qu'il condamne clairement la discrimination de la fille par rapport au garçon dans l'éducation des enfants. Elles remettent ainsi en question le fonctionnement traditionnel qui voudrait continuer à les cantonner dans des fonctions précises.

La place de la femme dans le Coran

On imagine généralement que le mauvais traitement des femmes dans les pays musulmans découle directement de l'application de l'islam. Pourtant, il semble que ce soit, historiquement, grâce à l'islam que la femme devient un être égal en droit et en dignité. Selon le Coran, elle est créée de la même essence qu'Adam : « Il vous a créés d'un seul être dont il a créé son conjoint... » (Coran, 7/189). De même, le Coran ne fait pas de lien entre la faute et le sexe féminin : ce n'est pas Ève qui a fait manger la fameuse pomme interdite à Adam, ils l'ont mangée ensemble. Leur responsabilité est commune dans le partage de ce péché. Le sexe ne l'a pas déterminée. C'est bien l'individu dans sa dimension humaine qui est faillible. Toute la philosophie de l'islam découle de ce principe-là. Le lien avec Dieu est le même, que l'on soit homme ou femme.

Plusieurs versets où l'égalité des hommes et des femmes en tant que croyants est affirmée : « Les musulmans et musulmanes, croyants et croyantes, obéissants et obéissantes, loyaux et loyales, endurants et endurantes, craignants et craignantes, donneurs et donneuses d'aumône, jeûnants et jeûnantes, gardiens de leur chasteté et gardiennes, invocateurs souvent d'Allah et invocatrices : Allah a préparé pour eux un pardon et une énorme récompense » (Coran, 33/35). On peut également citer : « ... Je ne léserai aucun d'entre vous, homme ou femme, quant à vos bonnes œuvres, vous êtes issus les uns des autres... » (Coran, 3/195).

La religion et la raison

Le droit à l'instruction des femmes est l'un des plus bafoués dans les pays musulmans. En France, les jeunes filles musulmanes pensent que le savoir est la clé de la liberté et n'ont pas peur de brandir le fameux hadith : « La recherche du savoir est un devoir pour tout musulman et pour toute musulmane. » Elles savent que Coran vient du mot arabe *qur'an* signifiant « lecture ». Le premier verset révélé « Lis au nom de ton Seigneur qui t'a créé ! » (Coran, 96/1) peut être considéré comme principe fondamental, d'autant plus que Mohamed (PSL) est alors analphabète. Dieu révèle que « c'est Lui qui a envoyé parmi les illettrés un prophète qui leur énonce Ses signes, qui les cultive et qui leur apprend le Livre et la Sagesse, alors qu'ils étaient dans l'erreur manifeste » (Coran, 62/2).

Le musulman ne peut normalement vivre sa foi sans avoir recours à son intelligence : « Dieu accablera ceux qui ne raisonnent pas » (Coran, 10/100). L'utilisation de sa raison lui permet de comprendre à la fois le texte et le contexte. C'est le travail des *oulémas* (savants) de faire le lien entre les principes et leur application pratique, appelé *ijtihâd*. L'extension de l'islam à des pays de cultures différentes, de systèmes d'alliance différents (systèmes patrilinéaires ou matrilinéaires), en découle. D'aucuns considèrent que la modernisation de l'islam ne nécessite pas de véritable « réforme », au sens propre du terme. Il suffirait de relire les sources au regard du contexte actuel du XXIe siècle français. L'islam se veut une religion universelle et intemporelle.

Quoi qu'il en soit, la réflexion, la recherche de savoirs est intrinsèquement liée à la foi et à la compréhension de sa religion. Pour le musulman, se rapprocher de Dieu passe par une meilleure perception du monde qui l'entoure. Il voit son Créateur à travers sa Création. Il tend à une plus grande proximité en acquérant du savoir : « Telles sont les paraboles que nous exposons aux êtres humains, et seuls ceux qui sont en quête de savoir les comprennent » (Coran, 39/4). Améliorer ses connaissances est une quête incessante : le musulman cherche Dieu à l'intérieur et aussi à l'extérieur. Plus il cherche Dieu, plus il se sent en symbiose avec le reste du monde : « Rechercher un seul chapitre de science est plus méritoire que l'accomplissement de mille génuflexions en prière » ; « La supériorité du savant sur le fidèle est semblable à la supériorité de la lune sur l'ensemble des autres astres »...

Les hadiths exhortant à la connaissance sont nombreux : « Il faut rechercher le savoir dans le temps et l'espace : depuis le berceau jusqu'à la tombe et jusqu'en Chine s'il le faut. » Et aussi : « L'encre des savants est plus précieuse que le sang des martyrs. »

Le voile

Quinze ans après le début des révélations, il est demandé aux musulmanes de se voiler, la première raison invoquée étant de protéger les femmes des agressions alors fréquentes, issues de la société préislamique. Il semble donc que pour faire cesser ce désordre et pour libérer les femmes, y compris les épouses du Prophète (PSL) elles-mêmes, Allah ait demandé aux musulmanes de se faire reconnaître en dépliant sur elles leur *hijab* : « Ô Prophète, dis à tes épouses, à tes filles et aux femmes des croyants de ramener sur elles un pan de leur voile. Elles en seront plus vite reconnues et éviteront d'être offensées » (Coran, 33/59).

Mais le voile s'inscrit également dans une éthique de « pudeur musulmane », s'appliquant tant aux hommes qu'aux femmes : « Dis aux croyants de baisser une part de leurs regards et de garder leur chasteté... Dis aux croyants de baisser une part de leurs regards, de garder leur chasteté, et de ne montrer de leurs atours que ce qui en paraît et qu'elles rabattent leur voile sur leurs poitrines ; et qu'elles ne montrent leurs atours qu'à leurs maris ou à leurs pères ou aux pères de leurs maris, ou à leurs fils, ou aux fils de leurs maris, ou à leurs frères ou aux fils de leurs frères, ou aux fils de leurs sœurs... ou aux garçons impubères qui ignorent tout des parties cachées des femmes... » (Coran, 24/30-31).

C'est Aïcha qui précise plus tard la manière dont les femmes le portent : « Qu'Allah fasse miséricorde aux premières femmes émigrées, dès que le verset : "Qu'elles rabattent leur voile sur leur poitrine" fut révélé, elles découpèrent le drap qu'elles portaient (au-dessus de leurs vêtements) et l'utilisèrent pour se couvrir la tête (ainsi que leur cou et leur poitrine). » Il convient de préciser qu'à l'époque, la majeure partie des femmes portaient déjà un foulard qui couvrait les cheveux mais leur gorge et une partie de leur poitrine étaient découvertes, raison pour laquelle Dieu parle de « rabattre le voile sur leur poitrine ».

La question du voile est à la base de nombreuses discussions, au sein même de la communauté musulmane. Certains soulignent que l'absence de hadith du Prophète (PSL) amène un doute sur son caractère obligatoire. L'authenticité de certaines positions du Prophète (PSL), pourtant régulièrement utilisées, est remise en cause, comme par exemple le hadith qui relate les propos du Prophète (PSL) à la vue d'Asma en tenue quelque peu transparente : « Ô Asma, fille d'Abu Bakr, sache que toute jeune fille qui atteint l'âge de la puberté doit se couvrir de sorte à ce qu'on ne voie d'elle que ceci (montrant le visage) et ceci (montrant les mains). » D'autres estiment que l'obligation de couvrir les cheveux n'est mentionnée explicitement nulle part[1]. Des polémiques tournent également autour de ce qui est propre aux femmes du Prophète (PSL) — qui avaient un statut particulier (« Ô femmes du Prophète ! Vous n'êtes comparables à aucune autre femme » (Coran, 33/32) — ou commun à toutes les musulmanes. Pour illustrer l'une de ces particularités, on peut citer l'injonction faite aux hommes de ne pas être en contact direct avec les femmes du Prophète (PSL) : « Ô vous qui croyez ! N'entrez pas dans les demeures du Prophète, à moins qu'invitation ne vous soit faite à un repas... Et si vous demandez à ses femmes quelque objet, demandez-le-leur derrière un rideau : c'est plus pur pour vos cœurs et leurs cœurs ; vous ne devez pas faire de la peine au Messager d'Allah, ni jamais vous marier avec ses épouses après lui... » (Coran, 33/53).

De nombreuses femmes se reconnaissent et s'inscrivent dans la démarche des Médinoises, percevant le voile comme une injonction divine. Elles estiment que le Prophète (PSL) serait intervenu si les musulmanes de l'époque avaient mal compris ou mal appliqué le verset coranique, ce dernier étant gardien de la bonne compréhension de l'islam.

Le Coran utilise également le terme *hijab* (littéralement : « quelque chose qui couvre ») dans un autre registre, pour renvoyer à la notion de protection du domaine du sacré vis-à-vis du domaine du profane, que l'on peut comprendre comme la construction spirituelle d'un domaine réservé à Dieu : « Et quand tu lis le Coran, Nous plaçons, entre toi et ceux qui ne croient pas en l'au-delà un voile invisible » (Coran, 17/45). Dans le même sens, il est également utilisé dans la sourate qui parle de Marie, la mère de Jésus (Maryam et Issa en arabe) : « ... Mentionne, dans le Livre (le Coran), Marie, quand elle se retira de sa famille en un lieu vers l'Orient. Elle mit entre elle et eux un voile... » (Coran, 19/16-17).

La mixité

Le refoulement des femmes dans l'espace du privé existait avant l'islam. Il est lié à un aspect traditionnel plutôt que religieux (voir la note sur le fonctionnement traditionnel de « type clanique » de la culture maghrébine, page 91). Les relations entre les hommes et les femmes sont permises en islam tant qu'elles s'élaborent dans le respect. Pour beaucoup, aucun texte ne stipule de manière univoque la séparation systématique des hommes et des femmes. Il est prouvé que Mohamed (PSL) a, dès cette époque — ce qui est révolutionnaire par rapport aux autres prophètes —, suscité le soutien des femmes dans les décisions qu'il prenait et encouragé leur participation dans les échanges qui les fondaient !

Le fameux hadith concernant la poignée de main, traduit par « je (le Prophète) ne serre pas la main des femmes » ou par « je ne serre jamais les mains des femmes », est interprété de façon différente. Il a été exprimé au cours d'une cérémonie d'allégeance. Cette gestuelle n'était pas une coutume répandue à Médine : elle se pratiquait surtout pour sceller un contrat entre deux personnes mais n'appartenait pas aux rituels de politesse. Certains savants lient le sens de ce hadith à des raisons strictement liées aux circonstances dans lesquelles il a été proclamé : le grand nombre de personnes qui prêtaient serment impliquaient une allégeance collective. D'autres l'appliquent au pied de la lettre et refusent de toucher la main d'une femme. Une troisième catégorie le comprend comme un principe général mais ne l'applique cependant pas automatiquement, considérant que dans une société non musulmane, blesser une personne est plus grave que lui serrer la main.

Un autre hadith concerne la mixité, traduit par « L'homme ne se retire avec une femme qu'en présence de Satan » ou bien par « Un homme ne peut se retirer avec une femme qui lui est interdite (par le mariage) ». Selon ces derniers, il est interdit de laisser un homme et une femme non mariés en tête à tête. Ils ne sont jamais vraiment seuls : Satan est là ! Autrement dit, isolés dans une pièce, il y a de grandes chances pour que, même s'ils n'avaient pas de mauvaises intentions au départ, le désir sexuel naisse. Certains commentateurs mettent l'authenticité de ce hadith en doute, d'autres estiment qu'il a un aspect informatif et non prescriptif. Il s'agirait de prévention plus que d'interdiction... La plupart des musulmans s'approprient cette question en privilégiant l'intention sur la forme : ce qui compte devant Dieu qui voit tout et qui sait tout, c'est la pureté des cœurs. Chaque personne est à même de connaître ce qu'il y a dans son cœur au contact de l'autre sexe. Pour eux, ne pas toucher la main d'un homme ne préserve pas des « mauvaises pensées », et la toucher n'en donne pas forcément !

Le travail

Le travail en général est une valeur de base qui doit respecter une certaine éthique et ne pas aller à l'encontre des valeurs de l'islam : « Et dis : "Œuvrez, car Dieu va voir votre œuvre, de même que Son messager et les croyants [...]" » (Coran, 9/105). L'islam permet à la femme de travailler, tant que cela ne contrevient pas aux « bonnes mœurs ». Aucune fonction ne lui est proscrite, si ce n'est celle qui mettrait sa dignité en danger. Des hadiths lui permettent même de travailler alors que son statut de femme récemment divorcée l'oblige normalement à respecter une période d'attente où elle est censée rester chez elle : « Ma tante avait été répudiée et sortit de chez elle secouer son palmier ; mais un homme la réprimanda d'être sortie. Elle alla voir le Prophète (PSL) qui lui dit : "Au contraire, secoue le tronc de ton palmier ; peut-être auras-tu l'occasion d'en faire l'aumône ou d'en faire du bien". »

Autant le travail est obligatoire pour l'homme, autant il reste facultatif pour la femme, pour laquelle la maternité et le domaine familial demeurent une priorité dans la répartition des tâches. Ses activités professionnelles ne doivent pas entraver cette fonction, ni porter atteinte à son intégrité physique et psychologique. Les fonctions exercées ne doivent pas l'absorber au point de l'empêcher d'accomplir, le cas échéant, sa mission de mère et d'épouse. Khadija et Aïcha, femmes du Prophète (PSL), sont notamment des exemples de femmes engagées dans leur cité.

La mère

La cellule familiale étant la base de l'organisation sociétale, l'islam sacralise le rôle et le statut de la mère. On retrouve le même respect dû aux parents dans les trois religions monothéistes, qui fait d'ailleurs partie des Dix Commandements : « Point ne manqueras de respect à tes parents... » Le Coran en parle à plusieurs reprises : « Ton Seigneur a prescrit la bonté à l'égard de vos père et mère : si l'un d'eux ou tous deux doivent atteindre la vieillesse auprès de toi, ne leur dis point : "Fi !" et ne les brusque pas, mais adresse-leur des paroles respectueuses » (Coran, 17/23). Mais la mère a un statut tout particulier. Tous les musulmans connaissent le fameux hadith du Prophète Mohamed (SPL). Il s'agit d'un homme qui lui demanda : « Ô messager de Dieu, qui mérite le plus que je sois un bon compagnon pour Lui ? » Et Mohamed (PSL) répondit : « Ta mère. » L'homme reprit : « Et ensuite ? » Mohamed répondit : « Ta mère. » Il reprit : « Qui ensuite ? » Mohamed répondit : « Ta mère. » Il reprit encore : « Puis qui ensuite ? » Le Prophète répondit : « Ton père. » Comme si cela ne suffisait pas, on rapporte encore une autre parole du Prophète (PSL) qui dit : « Le paradis est aux pieds des mères. »

Dans la culture maghrébine clanique, le souvenir de la mère représente pour les garçons le paradis perdu de la petite enfance, où ils ont été choyés pendant leurs sept premières années. En cas de changement ou de transplantation, la mère est plus que jamais une valeur-refuge pour tous ceux qui se sont éloignés de leur terre... Pour certains psychologues, l'absence d'intervention du père dans l'éducation des enfants entraîne une certaine « toute-puissance » de l'image féminine, qui peut entraîner deux réactions masculines opposées vis-à-vis du sexe féminin : une dépendance marquée vers la fonction maternante (ces garçons ne pourront aimer qu'une femme qui les materne) ou une réaction de ressentiment, voire d'hostilité (ce qui expliquerait le nombre infini d'injures concernant les femmes, et plus précisément la mère, ainsi que toutes les déformations des principes coraniques imposant le respect de la mère).

Le couple

Le modèle traditionnel de culture clanique, auquel nous avons déjà fait à plusieurs reprises allusion tout au long de ce livre, instaure une méfiance entre les deux sexes. Le cloisonnement des femmes dans la sphère privée les amenait à développer des contre-pouvoirs pour entrer dans la sphère sociétale des hommes par l'instauration de diverses stratégies et notamment par l'intermédiaire de leurs fils. Sous certains aspects, la relation mère-fils ressemblait plus à une relation de couple que la relation homme-femme. Être femme, ce n'était pas vivre avec un homme, c'était posséder un fils. Parce qu'elle avait été éloignée de son mari (chacun vaquant strictement à ses propres fonctions), elle surinvestissait la relation avec son fils. Ce dernier, pris dans cette relation fusionnelle, n'était pas toujours disponible pour son mariage. Traumatisé par sa rupture brutale avec le monde féminin, lors de ses sept ans, il avait tendance à rester prudent quant à un nouvel investissement affectif ! Le vécu de la petite enfance venait renforcer la méfiance mutuelle inhérente au système clanique entre le groupe des hommes et celui des femmes.

Alors que le fonctionnement clanique de la société traditionnelle ne favorisait pas forcément les liens entre mari et femme, le Coran insiste sur les sentiments au sein du couple : « Il a créé pour vous (...) des épouses afin que vous trouviez la paix auprès d'elles, et Il a établi l'amour et la bonté entre vous... » (Coran, 30/21). Il affirme que la façon dont les hommes traitent leurs femmes conditionne leur soumission à Dieu : « Comportez-vous convenablement envers elles. Si vous avez de l'aversion envers elles durant la vie commune, il se peut que vous ayez de l'aversion pour une chose où Allah a déposé un grand bien » (Coran, 4/19).

Le Prophète Mohamed (PSL) a multiplié les hadiths dans ce sens. Son comportement est une base fondamentale pour l'interprétation des versets concernant les femmes. Sur la question du couple, on peut faire référence au plus connu : « Les meilleurs hommes de ma Communauté sont les meilleurs avec leurs femmes... » On peut également citer celui qui raconte comment il a refusé par trois fois d'aller manger avec un interlocuteur qui omettait d'inviter son épouse Aïcha. À chaque fois qu'il demandait à son hôte : « Avec elle ? » et que l'autre répondait par la négative, il s'excusait de ne pouvoir accepter. Jusqu'à ce que cet homme comprenne enfin qu'il lui fallait inviter le couple. La place des femmes était un sujet grave pour Mohamed (PSL), puisqu'il n'oublia pas de l'aborder dans ses dernières paroles, lors de son « pèlerinage d'Adieu », où il rappela à cent quarante mille fidèles les principes fondamentaux de l'islam : « Ô gens ! Vos femmes ont un droit sur vous et vous avez aussi un droit sur elles (...) Traitez les femmes avec douceur ! (...) Soyez donc pieux envers Dieu en ce qui concerne les femmes et veillez à leur vouloir du bien. »

Enfin, sa confiance envers les femmes était telle que lorsque son épouse Aïcha fut suspectée de l'avoir trahi avec un jeune disciple, le Prophète (PSL) pris sa défense et stoppa les calomniateurs : « Comment ose-t-on jeter le soupçon sur la maison du Prophète de Dieu ? »

Supériorité de l'homme

Le Coran institue l'homme seul responsable de la survie de la famille. Lorsqu'une femme travaille ou reçoit un héritage, son salaire, ses biens lui appartiennent personnellement. Elle n'a aucune obligation de participer aux charges du ménage. La responsabilité de la prise en charge de l'épouse et des enfants repose sur les seules épaules de l'homme.

La traduction du verset 4/34 traitant ce sujet est subtile ; on trouve, selon les corans : « Les hommes assument les femmes à raison de ce dont Dieu les avantage sur elles et de ce dont ils font dépense sur leurs propres biens... » ou bien : « Les hommes ont autorité sur les femmes, en raison des faveurs qu'Allah accorde à ceux-là sur celles-ci, et aussi à cause des dépenses qu'ils font de leurs biens ». Ainsi traduit, ce verset peut être compris comme allant à l'encontre du principe coranique selon lequel la seule base de supériorité est la piété et non le genre, la race, la couleur, ou la richesse : « Le plus noble d'entre vous auprès d'Allah est le plus pieux » (Coran, 49/13).

L'adjectif arabe *qawwamounes (qiwamah)* signifie « être responsable de la subsistance et de la protection d'une personne ». Cette responsabilité est imposée à l'homme en raison de sa résistance physique et morale qui le rend apte à remplir les obligations de la vie familiale. Le terme « faveur » renvoie à la nature résistante de l'homme afin qu'il soit à la hauteur des obligations que Dieu lui a données : « Allah n'impose à aucune âme une charge supérieure à sa capacité » (Coran, 2/286). L'autorité de l'homme ne relève pas du pouvoir mais de la compétence. Par conséquent, le *qiwamah* n'abolit nullement l'égalité entre l'homme et la femme. On peut même dire qu'il affirme un droit de la femme sur l'homme. Ce dernier doit assumer la charge de la famille que Dieu lui a donnée, non pas en vertu de son sexe mais en fonction de la responsabilité qui est la sienne. Dans le cas contraire, l'épouse peut obtenir le divorce sur ce seul manquement. En revanche, le travail domestique de la femme ne relève pas d'une obligation religieuse mais appartient au domaine social.

Dans la réalité, les musulmans s'approprient différemment cette notion de *qiwamah*. Ceux de culture traditionnelle l'interprètent comme une légitimation de la supériorité de l'homme sur la femme, leur permettant d'exercer un pouvoir autoritaire — et souvent abusif — sur cette dernière. Les plus modernes mettent l'accent sur le principe de la *shura* (concertation) dans le couple, qui est d'ailleurs un principe coranique : « Et si, après s'être consultés, tous deux tombent d'accord pour décider le sevrage, nul grief à leur faire... » (Coran, 2/233).

Certains estiment que le comportement exemplaire du Prophète (PSL) à l'égard des femmes suffit à lui seul à déterminer la compréhension de ce verset.

Quelles que soient les interprétations, la dignité de l'homme musulman reste directement liée à sa fonction économique. Cette tendance universelle est amplifiée par la situation d'émigration, qui repose sur la recherche d'une vie meilleure. La légitimité du rôle et de la place du père de famille passe par la réussite du projet migratoire...

La violence

La suite de ce même verset 4/34 aborde la question de la violence : « Et quant à celles dont vous craignez la désobéissance, exhortez-les, éloignez-vous d'elles dans leurs lits et frappez-les. Si elles arrivent à vous obéir, alors ne cherchez plus de voie contre elles, car Allah est certes Haut et Grand ! »

Comme dans le cas précédent, il s'agit d'abord de définir les termes. « Désobéissance » traduit mal le terme arabe *nuchuz*, qui est exclusivement lié à la dimension sexuelle. Fatima Mernissi[2] nous indique que les traducteurs du Coran qui ont été élevés dans la tradition chrétienne révèlent leurs inhibitions lorsqu'il s'agit de traduire un terme ayant un rapport au sexe : Régis Blachère traduit *nuchuz* par « indocilité », laissant de côté la dimension sexuelle du terme, et Denise Masson par « infidélité », le vidant ainsi de sa charge subversive. Or, *nuchuz*, nous expliquent les commentateurs musulmans, renvoie à une rébellion de la femme liée au domaine sexuel. Ce verset concerne donc en fait une situation bien précise : celle où la femme utilise le sexe comme arme dans sa relation avec son mari.

Alors que la société préislamique banalise toutes les formes d'agressivité (viol, coups et blessures, etc.), l'islam limite la justification de la violence au cas de frustration sexuelle. Il s'agit, non d'autoriser la violence, mais de la limiter en définissant le seul domaine dans lequel on peut expliquer une pulsion violente : le *nuchuz*, et non pas toute forme de désobéissance.

Dieu tente par ailleurs de démontrer qu'il y a d'autres solutions préalables. Ce verset ne serait donc pas une habilitation à recourir à la violence, mais au contraire une limitation sur le fond et une éducation sur la forme ; il instaure en effet plusieurs étapes intermédiaires dans l'objectif de trouver une issue au conflit : il faut d'abord se parler, puis bouder...

Le principe général régissant les rapports conjugaux est répété à plusieurs reprises sous des formes différentes, mettant en avant le fait que les hommes et les femmes ont des droits réciproques : « Elles sont un vêtement pour vous et vous êtes un vêtement pour elle » (Coran, 2/187) ; « Elles ont des droits équivalents à leurs obligations, conformément à la bienséance » (Coran, 2/228).

C'est là encore le positionnement et l'exemple du Prophète (PSL) qui ont tranché cette question. Ce dernier n'a jamais eu recours à la violence contre les individus, tel que le confirme ce hadith : « Le Prophète n'a jamais battu de sa main ni une de ses femmes, ni un esclave, ni personne d'autre. » Il a même préféré quitter le domicile conjugal et s'installer pendant plus d'un mois dans une pièce de la mosquée lorsque ses femmes se sont rebellées contre lui, à la surprise générale : « Le Prophète se tint à l'écart de sa maison pendant vingt-neuf nuits. Il avait déclaré qu'il n'entrerait pas chez ses femmes durant un mois, tant il était irrité contre elles, et Dieu le blâma à ce sujet. » Les hadiths proscrivant l'utilisation de la violence ne manquent pas : « Le meilleur d'entre vous est le meilleur envers ses épouses » ; « Les meilleurs d'entre vous ne frapperont pas » ; « Comment peut-on battre sa femme comme on bat un chameau et ensuite l'embrasser le soir venu ? » ; « Ne battez pas les servantes d'Allah »... Les savants modernes se basent sur cette Sunna pour interdire toute forme de violence de l'homme sur la femme.

L'héritage

Avant l'islam, les femmes n'héritaient pas, elles étaient héritées, comme de simples objets. Le Coran a interdit cette pratique : « Ô vous qui avez cru ! Il ne vous est plus permis d'hériter des femmes contre leur gré... » (Coran, 4/19). Elles passent donc du statut d'« objets » à celui de « sujets », dans l'esprit de partage des fonctions entre hommes et femmes précédemment décrit. Leur argent constitue leur bien personnel et non pas celui de la famille, alors que celui du mari représente le budget familial. C'est ce qui explique qu'il hérite le double d'une femme : « Voici ce que Dieu vous enjoint au sujet de vos enfants : au fils une part équivalente à celle de deux filles... » (Coran, 4/11).

Le mariage

L'islam ne demande pas à l'être humain de renoncer aux plaisirs terrestres pour se rapprocher de Dieu. Il se présente comme une religion du « juste milieu ». Les plaisirs ne sont pas tabous mais réglementés. Mohamed (PSL) est le seul Prophète à avoir sa chambre à coucher à côté de la salle de prière. Nul n'est besoin pour les imams de renoncer à la vie familiale pour vivre leur spiritualité. Au contraire, un hadith indique que « celui qui se marie a déjà réalisé la moitié de son chemin devant Dieu ». Il est proscrit en islam de combattre la nature humaine. Ce hadith vient expliciter cette idée : « Anas a rapporté que quelques Compagnons du Prophète — dans leur zèle à œuvrer pour Dieu — s'exprimèrent ainsi : “Je ne me marierai jamais ! Et moi, je ne mangerai plus de viande ! Et moi, je ne dormirai plus sur un matelas !" Le Prophète, entendant cela, adressa des louanges à Dieu, puis il dit : "Qu'ont-ils, ces gens-là qui disent de telles choses ? Quant à moi, je prie, je jeûne, je romps le jeûne et j'ai épousé des femmes. Celui qui se détourne de mes pratiques n'est pas des miens." »

L'islam institue la famille patriarcale, basée sur le besoin de savoir qui est le père de l'enfant. Un hadith de Aïcha nous rapporte qu'avant l'islam, les Arabes pratiquaient le mariage au moins de quatre manières, sans établir de filiation précise. Par exemple, une femme qui avait entretenu des rapports sexuels avec un groupe d'individus pouvait choisir ensuite lequel d'entre eux deviendrait le père de son enfant, le cas échéant. D'autre fois, des physionomistes étaient convoqués pour attribuer l'enfant à celui qu'ils jugeaient être le père.

L'islam recommande le mariage tant pour l'équilibre de la famille que pour celui de la société. Le mariage représente le cadre légal de la sexualité, qui n'est pas — contrairement à ce que l'on peut croire — taboue, mais qui doit s'accomplir strictement entre mari et femme. Ces derniers n'ont pas le droit d'avoir de relations sexuelles en dehors du mariage afin que tous les enfants naissent dans le cadre d'une famille bien établie : « Mariez les célibataires d'entre vous, et les gens de bien parmi vos esclaves, hommes et femmes. S'ils sont besogneux, Allah les rendra riches par Sa Grâce, car la Grâce d'Allah est immense et Il est omniscient. Et que ceux qui n'ont pas de quoi se marier cherchent à rester chastes, jusqu'à ce qu'Allah les enrichisse... » (Coran, 24/32-33).

On est ici dans une logique où Dieu a créé l'homme et la femme pour s'aimer et se compléter : « Un exemple de Ses Signes est qu'Il a créé de vous, pour vous, des épouses pour que vous trouviez auprès d'elles le calme, le gîte, et Il a établi, entre vous, des liens de tendresse et de miséricorde. Il y a en cela des preuves pour les gens qui réfléchissent » (Coran, 30/21). La dot, que donne le mari à sa femme, symbolise l'amour et l'estime qu'il lui porte, et représente également son engagement à subvenir aux besoins financiers de la famille. Cet argent appartient strictement à la femme et non à son père.

Le *nikâh* (la cérémonie de mariage) est une cérémonie à la fois légale et publique. Elle doit donc être célébrée au vu de tous, afin d'annoncer à la communauté environnante l'union de cet homme et de cette femme. La cérémonie religieuse peut théoriquement être pratiquée par n'importe quel musulman, mais dans un souci de rigueur, les pays d'origine délèguent cette fonction à des personnes habilitées, appelées *qâdi*. En France, les femmes mariées ainsi se sont retrouvées sans recours lorsqu'elles ont été abandonnées par leur mari. Devant ce phénomène, de nombreuses autorités des mosquées refusent à présent de marier les époux devant Dieu tant qu'ils n'ont pas officialisé leur union à la mairie, ce qui permet le recours au droit français en cas de séparation.

D'après le Coran, un musulman peut épouser une femme du Livre (juive ou chrétienne) qui pratique sa religion, dans la mesure où c'est le père qui est garant — en tant que chef de famille — de l'éducation des enfants. L'inverse est — selon les textes coraniques — interdit : il est craint que le mari non musulman impose sa propre religion aux enfants. Mais l'obligation se place à un niveau religieux et non pas ethnique. L'islam ne privilégie par exemple en aucune façon le mariage entre Algériens ou entre Marocains, habitude ancestrale issue du fonctionnement endogame de la culture maghrébine (on choisit son conjoint à l'intérieur du clan).

Ce sujet est aujourd'hui fréquemment source de conflits familiaux, car les jeunes qui connaissent leurs sources religieuses ne manquent pas de remarquer la confusion entre religion et tradition. Élevés sur le sol français, ils revendiquent cette liberté de choix que leur permet aussi Dieu. Le mariage avec un converti est néanmoins encore mal vécu par de nombreuses familles qui relient l'islam à leur origine ethnique.

Le consentement nécessaire

La Sunna impose le consentement de la future épouse. Il est illégal de marier une femme malgré elle, en la contraignant ou sans son consentement. Le Prophète (PSL) a insisté à deux reprises sur cette obligation de façon explicite : « La femme qui a déjà été mariée ne peut être donnée en mariage que sur son ordre... La jeune fille ne peut être donnée en mariage qu'après qu'on lui a demandé son consentement. »

Si la femme est mariée contre son gré, le mariage est nul. Au regard des textes religieux, elle peut exiger l'annulation de cet acte auprès d'un imam, tant que le mariage n'est pas consommé. On sait d'ailleurs que le Prophète (PSL) était prêt à annuler un mariage conclu de cette manière : « On rapporte également que le Messager de Dieu — paix et salut sur lui — annula le contrat de mariage d'une femme s'appelant Al-Khansâ' Bint Khidhâm car son père l'avait mariée malgré elle. Sa main avait été en réalité demandée par deux hommes, le premier étant le noble Compagnon Abû Lubâbah Ibn al-Mundhir et le second étant un homme de son clan. La femme préféra Abû Lubâbah, alors que son père penchait pour le second prétendant à qui il maria sa fille sans le consentement de cette dernière. Al-Khansâ' se rendit alors chez le Messager de Dieu — paix et salut sur lui — et se plaignit à lui en ces termes : "O Messager de Dieu, mon père a dépassé ses limites avec moi et m'a mariée sans tenir compte de mon avis." Le Messager dit : "Son mariage est nul. Épouse qui tu veux." » Dans un hadith sur le même sujet, la femme venue consulter le Prophète (PSL) répondit : « En fait, ce mari choisi par mon père me convient, mais je voulais simplement que les femmes sachent qu'elles ne peuvent être mariées sans leur consentement. »

Dans la réalité, de nombreuses pratiques ne respectent pas ce principe. C'est ainsi que certains pères — outrepassant leur rôle de tuteur — marient leur fille en l'absence de cette dernière, en se fondant sur le fait que leur silence vaut consentement : « Si elle reste silencieuse, c'est qu'elle donne son accord. Et si elle refuse, elle ne doit pas être contrainte. »

Le témoignage

Il est vrai que le Coran exige des croyants, lors de transactions financières, la présence de deux témoins hommes, ou d'un témoin homme et de deux témoins femmes : « Ô les croyants, quand vous contractez une dette à échéance déterminée, mettez-la en écrit... Faites-en témoigner par deux témoins d'entre vos hommes , et à défaut de deux hommes, un homme et deux femmes d'entre ceux que vous agréez comme témoins, en sorte que si l'une d'elle s'égare, l'autre puisse lui rappeler... » (Coran, 2/282). Par contre, en d'autres situations, le témoignage d'une femme a le même poids que celui d'un homme, et peut même l'invalider. Par exemple, si un homme accuse sa femme d'adultère, le Coran lui demande de jurer solennellement cinq fois pour appuyer la culpabilité de sa femme. Si la femme nie et jure de la même façon cinq fois, elle n'est pas considérée coupable et dans aucun cas le mariage ne peut être dissous : « Et quant à ceux qui lancent des accusations contre leurs propres épouses, sans avoir d'autres témoins qu'eux-mêmes, le témoignage de l'un d'eux doit être une quadruple attestation par Allah qu'il est du nombre des véridiques, et la cinquième attestation est “que la malédiction d'Allah tombe sur lui s'il est du nombre des menteurs”. Et on ne lui infligera pas le châtiment si elle atteste quatre fois par Allah qu'il est certainement du nombre des menteurs. La cinquième attestation est “que la colère d'Allah soit sur elle, s'il était du nombre des véridiques” » (Coran, 24/6-11).

La polygamie

Dans ce domaine encore, le Coran veut réglementer un comportement anarchique déjà existant dans la période préislamique. Auparavant, la polygamie était courante et non réglementée, au point qu'un homme pouvait épouser autant de femmes qu'il le souhaitait. Ces dernières faisaient même partie de l'héritage qu'il laissait en cas de décès.

L'islam vient établir un cadre strict sur cette question, en centrant son exigence sur le principe de justice : chaque épouse est censée avoir les mêmes droits que l'autre. L'équité demandée est tellement exigeante qu'elle est présentée comme difficilement atteignable : « Et si vous craignez de n'être pas justes avec les orphelins (...) il est permis d'épouser deux, trois ou quatre, parmi les femmes qui vous plaisent, mais si vous craignez de n'être pas justes avec celles-ci, alors une seule. Cette conduite vous aidera plus facilement à être justes » (Coran, 3/4) ; « Vous ne pourrez jamais être équitables entre vos femmes, même si vous en êtes soucieux... » (Coran, 4/129).

Le prophète (PSL) en personne a reconnu la difficulté d'être juste envers ses épouses et l'a carrément refusé pour sa fille Fâtima, comme le témoigne ce hadith : « Les Bânu Hichâm ibn al-Mughîra m'ont demandé la permission de marier une de leurs filles au mari de ma fille. Je n'y consentirai pas, à moins que 'Ali répudie ma fille et alors il pourra épouser leur fille. Ma fille n'est qu'une partie de moi-même. Elle est peinée de ce qui me peine et souffre de ce qui me fait souffrir. »

Compte tenu de ces éléments, la plupart des savants ont mis en avant la volonté de l'islam de tendre vers la monogamie, d'autant que pour beaucoup d'entre eux, la polygamie s'inscrit, conformément au début du verset, dans un contexte de prise en charge des orphelins et des veuves, dans une société meurtrie par la guerre, dans des circonstances où, pour les mêmes raisons, patriarches juifs et chrétiens la pratiquaient également. Tous ces éléments les amènent à parler de l'institution de la polygamie, non pas comme d'une nécessité, mais comme d'une exception tolérée, ce qui explique que la femme peut, sans contradiction aucune, inscrire la monogamie comme condition dans son contrat de mariage musulman.

Le divorce

Contrairement à d'autres religions, l'islam n'interdit pas la dissolution du mariage. Mais il s'agit d'une décision grave qu'il faut longuement mûrir : « Il n'est rien, parmi les choses permises, que Dieu déteste plus que le divorce. » Le Coran institue des règles strictes qui doivent amener les personnes à réfléchir longuement leur décision. La procédure de séparation multiplie les modalités de médiation : « Si vous craignez un désaccord entre les deux (époux), envoyez alors un arbitre de la famille du mari et un arbitre de la famille de l'épouse. S'ils (les époux) veulent se réconcilier, Dieu ramènera la concorde entre eux. Dieu est Celui qui sait et qui est bien informé » (Coran, 4/35). Elle prévoit également des délais de réflexion : l'homme doit prononcer à trois reprises son intention de répudier sa femme en respectant des périodes précises.

La femme, quant à elle, peut également demander le divorce, d'abord pour non-respect des conditions spécifiques qu'elle a posées dans son contrat de mariage (monogamie par exemple). Elle peut également obtenir la séparation pour cause de griefs (coups et blessures, abandon du foyer, refus de subvenir aux besoins financiers, impuissance sexuelle, présence d'une maladie repoussante...). Enfin, si elle éprouve de l'aversion envers son mari au point de ne plus pouvoir vivre en couple, elle peut demander l'annulation du mariage à condition de restituer la dot qu'elle a reçue : « Une femme vint trouver le Prophète et lui dit : "Ô Envoyé de Dieu, je ne reproche rien à mon mari, ni à son comportement, ni à sa conduite religieuse. Mais je déteste commettre une impiété en restant avec lui." Le Prophète l'interrogea : "Es-tu prête à lui rendre son jardin ? — Oui", dit-elle. Alors le Prophète dit au mari : "Reprends ton jardin et répudie-la." » — C'est la réciproque de la répudiation : tout comme un homme a le droit de répudier sa femme s'il ne l'aime plus, la femme peut également demander la dissolution du mariage si elle n'aime plus son mari.

L'excision

Le Coran interdit toute mutilation, y compris sur les animaux. La musulmane doit veiller à modifier le moins possible son aspect (épilation des sourcils, couleur des cheveux), par respect de l'intégrité de la personne : la Création de Dieu ne se modifie pas. D'autre part, en islam, le plaisir sexuel est un droit chez la femme comme chez l'homme.

L'excision est une coutume ancestrale de certains pays d'Afrique noire et d'Égypte, qui consiste à mutiler de différentes façons les organes génitaux des filles afin de leur éviter toute tentation sexuelle. Cet acte de barbarie se pratiquait que les peuples soient animistes, chrétiens ou musulmans. Il touche encore aujourd'hui 5 % de la population mondiale, soit 136 797 440 femmes (chiffre donné par l'OMS en 1998), dont 15 à 20 % ont subi le quatrième type d'excision (infibulation).

Pureté et impureté

En islam, les liquides émanant du corps sont impurs (sécrétions, sang, urine...). Pour se mettre en relation avec Dieu, le musulman fait ses ablutions, c'est-à-dire qu'il nettoie les parties exposées à la saleté et purifie tous les orifices de son corps : la bouche, le nez, les oreilles et le sexe. C'est la substance émanant de l'organisme qui détermine l'impureté. Ainsi, la femme indisposée ne peut pas prier parce que le sang — comme n'importe quelle autre sécrétion corporelle — invalide la prière, tout comme ce serait le cas pour un homme blessé.

Des hadiths témoignent que le Prophète (PSL) pratiquait des jeux sexuels avec sa femme Aïcha alors qu'elle était dans cet état. Il lui arrivait même de réciter le Coran la tête sur ses genoux. Lorsque les compagnons le questionnaient à ce sujet, il répondait : « Faites tout sauf le rapport sexuel. » C'est ce que vient confirmer le verset 2/222 du Coran, qui énonce : « Isolez-vous des femmes en cours de menstruation. N'approchez d'elles qu'une fois purifiées. Quand elles seront en état, allez à elles ayez des rapports avec elles)... Il (Dieu) aime les scrupuleux de pureté. » L'acte sexuel complet, avec intromission, est donc alors prohibé.

La contraception

L'islam ne s'oppose pas à la contraception. Bien que l'un des buts primordiaux du mariage soit la perpétuation de la race humaine (« Unissez-vous, procréez, dit le Prophète. Je me glorifie de vous (de votre nombre) parmi les peuples, le Jour du Jugement »), il est permis de réguler et de planifier les naissances si le besoin s'en faire ressentir. À l'époque, les croyants, pour éviter une procréation inopportune, pratiquaient le *azl* (coït interrompu) : « Un compagnon dit : "Du temps de l'Envoyé d'Allah, nous pratiquions l'éjaculation externe, alors que le Coran était révélé." »

Cette pratique étant utilisée du vivant de l'Envoyé d'Allah (PSL), en pleine période de la Révélation coranique, cela implique son admission par l'islam. Les quatre écoles juridiques (malékite, hanbalite, hanafite et chafiite) sont unanimes à proclamer, d'après ces hadiths, que le *azl* est donc bien licite, en respectant certaines conditions. La première réside dans le consentement formel de l'épouse, parce que l'on estime d'une part que cette forme de contraception peut causer préjudice à son plaisir et d'autre part que son avis sur la question est déterminant. La deuxième consiste à utiliser ce procédé avec discernement, pour des raisons justifiées (problèmes économiques, fatigue ou maladie passagère, organisation familiale, etc.).

De nombreuses discussions ont eu lieu sur ce thème du temps du Prophète (PSL). Il s'agissait d'abord de s'assurer que cela n'était pas équivalent à une sorte d'avortement : « Quelqu'un dit : "Certains prétendent que c'est, en plus petit, l'action d'enterrer les enfants à leur naissance." Ali dit alors : "On ne peut dire que l'enfant a été tué à sa naissance que s'il est passé par les sept phases de la création : un extrait d'argile, puis une goutte de liquide, puis une masse accrochée, puis une substance molle, puis des os, puis de la chair recouvrant des os, puis une création nouvelle." » Le Prophète (PSL) a même ajouté que cela n'allait pas contre la volonté divine, car si Dieu voulait vraiment créer un nouvel être vivant, Il le ferait malgré tout. Partant de tous ces éléments, les savants estiment que rien n'empêche l'utilisation de l'un des substituts préconisés par la médecine moderne (pilule contraceptive, stérilet et autres).

L'avortement

Lorsque Dieu a déjà insufflé la vie, l'islam estime que cela n'est pas aux hommes d'en disposer. Toutefois, l'avortement devient obligatoire en cas de danger pour la femme enceinte, dont la grossesse risque de porter atteinte à sa santé ou de lui coûter la vie. Cette décision s'impose et n'est pas laissée à la discrétion du mari.

Certains savants s'en tiennent à ce principe de base. D'autres donnent des avis juridiques selon les situations personnelles, les contextes sociaux, la vie de l'embryon, etc. Par exemple, le Conseil des oulémas du Koweït a majoritairement autorisé l'avortement, à la lumière des textes musulmans, pour les femmes violées en Bosnie[3]. Dans des situations d'extrême précarité, de prévision de handicap, des *fatwas* (avis juridiques) autorisent cas par cas le recours à l'avortement.

La sexualité

En islam, la sexualité n'est pas strictement ramenée à la procréation mais reconnaît et valorise également la dimension du plaisir. L'absence de rapports sexuels pendant une période de quatre mois constitue un motif de séparation possible pour les deux membres du couple, sauf raison majeure. Le cadre du mariage est incontournable puisque l'établissement de la filiation — dont la famille est l'expression — constitue la base de la société musulmane. Ainsi, la fornication et l'adultère (réprimés de la même façon pour l'homme et pour la femme), l'homosexualité, sont interdits par le Coran. Le viol est puni au même titre qu'un meurtre. La masturbation n'est tolérée que dans des situations où l'individu risquerait de tomber dans l'illicite.

Dans le cadre du couple légal, le plaisir partagé prend un caractère sacré, comme les autres plaisirs terrestres. Ce bonheur se réalise grâce à Dieu, cela fait partie des miracles : « Quand un homme regarde son épouse, disait le Prophète, et qu'elle le regarde, Dieu pose sur eux un regard de miséricorde. Quand l'époux prend la main de l'épouse et qu'elle lui prend la main, leurs péchés s'en vont par l'interstice de leurs doigts. Quand il cohabite avec elle (relations intimes), les anges les entourent de la terre au zénith. La volupté et le désir ont la beauté des montagnes. Quand l'épouse est enceinte, sa rétribution est celle du jeûne, de la prière, du *djihâd.* »

Le Prophète (PSL) présente la relation sexuelle comme une aumône devant Dieu, ce qui étonna ses compagnons de l'époque : « Chaque fois que vous faites œuvre de chair, vous faites une aumône. Les compagnons qui étaient avec lui s'écrièrent : "Comment chacun de nous satisferait ses appétits sexuels et mériterait par là une rétribution ?" Il répondit alors : "Voyons, celui qui assouvit ses appétits de façon illicite ne se charge-t-il pas d'un péché ? De même, celui qui les satisfait de façon licite obtient une rétribution." »

Le Coran, quant à lui, énonce clairement : « Cohabitez (ayez des relations intimes) avec elles et recherchez ce qu'Allah a prescrit pour vous... » (Coran, 2/187). Tout est permis en sexualité, comme le signifie ce verset : « Vos épouses sont pour vous un champ de labour : allez à votre champ comme vous le voulez... » (Coran, 2/223). Le seul interdit en matière de sexualité est la sodomie : « Une fois qu'elles se sont purifiées, abordez-les par où Dieu vous l'a ordonné car Dieu aime ceux qui se repentent et Il aime ceux qui se purifient » (Coran, 2/222).

La jouissance

Le droit à la jouissance est garanti. L'islam va très loin dans ses recommandations sur la prise en compte du plaisir de l'autre. L'acte d'amour doit être accompli avec soin, cela fait aussi partie des obligations. Le Prophète (PSL) en personne recommande les jeux sexuels. Pour lui, l'amour n'est pas muet, il insiste pour que la parole accompagne l'acte, parce que l'esprit, le cœur et le corps ne font qu'un. Il estime par exemple clairement que l'homme se distingue de l'animal par l'amour et la tendresse partagés avec sa femme : « Que l'un d'entre vous ne tombe pas sur sa femme comme le font les bestiaux, qu'il y ait entre eux un messager. On demanda : "Qu'est-ce que le messager, ô Messager de Dieu ?" "Le prophète répondit : "Le baiser et la parole." »

Afin de compléter cette idée, Mohamed (PSL) lie la puissance sexuelle de l'homme à la jouissance qu'il donne à sa femme : « Trois choses relèvent de l'impuissance chez l'homme : le fait qu'il approche son épouse et qu'il l'honore avant de lui avoir parlé et de s'être rendu agréable. Il couche alors avec elle, satisfait son propre besoin, avant qu'elle-même satisfasse le sien. » Dans le même sens, un hadith témoigne que « le Messager de Dieu a interdit la pénétration avant les caresses ».

Un savant comme al-Ghazâlî insiste sur le fait que « l'homme doit patienter jusqu'à ce que son épouse satisfasse également son appétit. En effet, l'orgasme de l'épouse peut prendre du temps. Si l'homme se retire, cela peut décupler le désir inassouvi de la femme, ce qui constitue un tort à son encontre. La non-coïncidence temporelle des orgasmes impose à l'homme de se retenir, aussi précoce soit-il. »

Bien entendu, la prise en compte du plaisir masculin est aussi une obligation pour la femme : « Elles ont des droits équivalents à leurs devoirs » (Coran, 2/228). Cette dernière ne doit pas se refuser à son mari, comme l'indique le hadith qui lui demande d'accepter le rapport intime « même si elle est sur le bât d'un chameau »...

La séparation peut être demandée par l'un des deux conjoints en l'absence de relations intimes durant quatre mois, sauf circonstance exceptionnelle.

Conclusion

Être moderne, c'est « dire je » — ne pas laisser le clan décider pour soi — et utiliser la raison pour remettre en question des traditions ancestrales. C'est ainsi, de génération en génération, que la société évolue.

Les jeunes qui témoignent ici sont passés par l'islam pour accomplir cette progression. Cela ne veut pas dire que l'islam mène toujours à la modernité, ni que tous les jeunes passent par l'islam pour y accéder. Cet ouvrage veut simplement prouver que c'est possible : on peut *aussi* passer par l'islam pour devenir moderne. Cela heurte de plein fouet nos représentations collectives sur cette religion liées à l'archaïsme : celles de non-musulmans, qui jugent l'islam à son application dans certains pays étrangers, comme celles de musulmans, dont la vie a été saccagée et traumatisée par des comportements se prétendant de l'islam.

C'est en cela que les témoignages recueillis ici nous ont finalement conduits à des domaines d'ordre politique plus larges. La question est — bien au-delà du voile — la construction de l'islam de France : veut-on vraiment laisser cette première génération de Français de confession musulmane se redéfinir et définir leur islam ? Est-on vraiment prêt à considérer que l'islam puisse *aussi* être moderne ? Accepte-t-on vraiment que l'islam ne soit plus la religion des « étrangers » ?

À force de travailler parallèlement sur les deux registres présentés jusqu'ici comme incompatibles — l'islam et la République laïque —, cette génération a élaboré une nouvelle réflexion tendant à intégrer la référence musulmane au sein du patrimoine français. En étudiant les textes religieux à la lumière de leur culture française, ils tentent de mettre en évidence les valeurs communes de façon à prouver que l'islam peut faire partie intégrante de la nation française sans affecter son unité culturelle. En cela, ils interrogent le modèle d'intégration français basé sur l'assimilation et prouvent qu'il n'y a pas de choix à faire entre leur appartenance nationale et leur référence confessionnelle. En rattachant cette dernière à la société actuelle, ils remettent en cause des représentations et des modes de relations issues de la colonisation.

Il ne s'agit pas de faire pénétrer le religieux à l'intérieur de la République, ni d'instaurer des particularismes quelconques, mais bien de laisser une place à la référence musulmane au même titre que les autres et de se l'approprier collectivement. Prôner son intégration à la nation française ne promeut ni l'« islamisation » du pays ni un retour à un fonctionnement religieux, mais une mise en commun de toutes les richesses existantes sur le sol national. Car la répercussion d'une référence religieuse se mesure aussi — au-delà du respect des rituels — aux comportements hors de la sphère du sacré, comme le rapport à l'autre, à la famille, à l'éducation, à la raison, à la société, à la politique... L'appartenance de l'islam à la culture commune désamorcerait toutes les tendances de repli et de ségrégation et désactiverait les stratégies de tous ceux qui veulent scinder le monde, d'un côté comme de l'autre.

Ce n'est pas l'intégration mais la marginalisation de l'islam qui pousse ceux qui s'y réfèrent à créer et à développer des « espaces musulmans ». Laisser cette référence à l'extérieur du patrimoine commun, c'est courir le risque de conduire ceux qui y sont liés à se situer à l'extérieur ! C'est l'extériorité de la civilisation arabo-musulmane à la société française qui pousse naturellement les musulmans à s'organiser entre eux, réinvestissant un mode de « solidarité mécanique » prête à l'emploi, parfois dans des logiques de confrontation avec ceux qui sont « de l'autre côté ». Les individus se construisent alors par rapport à cette référence extérieure, comme dans les sociétés traditionnelles. Ce qui fait lien pour eux, ce n'est plus ce qu'ils font avec les autres, c'est ce qu'ils font pour Dieu.

L'apport de Durkheim sur la question du lien social a montré que la force de la « solidarité organique » s'appuyait sur l'interdépendance et la complémentarité des travailleurs, qui se retrouvaient en situation d'avoir besoin les uns des autres pour réaliser une production commune. Transférée sur un plan sociétal extraprofessionnel, à un niveau plus philosophique, c'est cette dimension de partage qui permet ensuite à l'individu de se sentir au moins utile, voire indispensable, et par conséquent à l'aise dans sa société. Or le lien social ne peut s'élaborer qu'entre des personnes qui ont besoin les unes des autres, sur des références communes. Ce n'est pas pour rien que les jeunes se battent pour la reconnaissance d'une histoire partagée : la prise en compte officielle de la période coloniale, de la guerre d'Algérie et du sacrifice de leurs grands-parents pendant la deuxième guerre mondiale n'est pas qu'une question de justice, pour que la France reconnaisse sa dette, mais une question symbolique fondamentale de mémoire commune[1]. Les jeunes à qui on demande tous les jours de prouver leur francité rappellent que leurs ancêtres appartenaient *déjà* à l'histoire de France.

Il sera de moins en moins possible de refuser leurs propositions : cette génération — et leur islam le cas échéant — est en train de gravir tous les échelons des catégories sociales. Ce n'est qu'une question de temps et d'historicité. Dans quelques années, espérons que ces débats soient cités comme ceux d'un temps révolu, dans des discussions où l'on s'étonnera que le peuple français ait pu s'interroger sur l'intégration des musulmans et de l'islam... Peut-être que les foulards des filles viendront se rajouter à la liste des vêtements interdits, parce que leur symbole faisait violence à un moment donné : combien de femmes se sont-elles battues pour avoir le droit de porter un pantalon ? Et pourtant... Malgré les pantalons féminins, les hommes sont toujours des hommes, et les femmes toujours des femmes. Ce qui semble impensable un jour devient banal le lendemain.

Traiter la question au fond exige que l'on ne la réduise pas à une comptabilité juridique des interdits autour desquels tous les débats sont actuellement cristallisés (signe de visibilité dans l'espace laïque, viande halal, port du foulard...), mais qu'on la fasse porter sur les valeurs qui sous-tendent les positionnements des uns et des autres, autrement dit sur les dimensions symboliques de la référence à l'islam et de la référence à la modernité occidentale. Ce qui doit compter, ce n'est pas tant le foulard mais ce que les femmes veulent faire avec.

Déconstruire la vision du monde bipolaire qui sépare, d'un côté, l'Occident porteur de liberté et de modernité et, de l'autre, tout ce qui est lié à l'islam, porteur d'archaïsme, est indispensable pour favoriser des relations fondées sur l'égalité entre tous les Français (et toutes les Françaises, bien entendu...).

Notes

Introduction

1. Farhad Khosrokhavar et Françoise Gaspard, *Le Foulard et la République*, Paris, La Découverte, 1995.

I. Le voile français

1. Voir Leïla Babès et Tariq Oubrou, *Allah et la loi des hommes*, Paris, Albin Michel, 2002.
2. Fawzia Zouari, *Le Voile islamique. Histoire et actualité, du Coran à l'affaire du foulard.* Lausanne, Éd. Favre, 2002.
3. Soheib Bencheikh, *Marianne et le Prophète*, Paris, Grasset, 1998, p. 144-145.
4. Voir Monique Hervo, *Chronique du bidonville, Nanterre en guerre d'Algérie*, Paris, Seuil, préface de François Maspéro, p. 12 : « Lorsque, dans les années 1960, le ministère de l'Intérieur se soucia de la "résorption" des bidonvilles, il dénombra 46 827 individus y vivant, dans la seule région parisienne : un autre rapport de la même époque, émanant du ministère des Affaires sociales, porte ce chiffre à 100 000, entre autres parce que le premier ne tenait pas compte des "microbidonvilles". On retrouve ce chiffre (...) multiplié par quatre pour toute la France en 1973. »
5. Nacira Guénif Souilamas, *Des « beurettes » aux descendantes d'immigrants nord-africains*, Paris, Grasset, 2002.
6. *Là-bas si j'y suis*, Daniel Mermet, sur France Inter, « L'islamalguame » du 15 au 23 janvier 2003, accessible sur Internet.
7. Clin d'œil au livre de Dounia Bouzar adressé aux jeunes filles : *À la fois française et musulmane*, Paris, La Martinière Jeunesse, 2002.

8. Ce qui ne veut pas dire qu'il n'y a pas eu de débat sur ce sujet. Dans la civilisation arabo-musulmane, « un savant enseignant est à la fois mathématicien et philosophe, botaniste et médecin... Avicenne par exemple (980-1037) était avant tout philosophe, mais aussi un grand médecin passionné de logique et de pharmacologie. Par leurs multiples intérêts, ces savants sont à la recherche d'une connaissance universelle, de vérités universelles, fondées sur l'usage de la raison. Pour eux, la raison est en effet un mode d'accès à la vérité. Les théologiens en revanche, enseignants des sciences traditionnelles, pratiquent la raison jusqu'à un certain point. Pour eux, la vérité existe. La vérité révélée, coranique, existe. Il faut l'interpréter et la comprendre, dans la mesure du possible. La raison, selon eux, n'est là que pour permettre à l'homme d'appréhender l'harmonie de l'univers. (...) Mais malgré ces divergences, le débat d'idées existe. Et c'est peut-être l'une des raisons pour lesquelles l'âge d'or de la science arabe s'est étendu » *(Les Cahiers de science et vie,* janvier 2003. « Enseignement : l'essor des académies », de Floréal Sanagustin).

9. Ce rapport, rédigé par Régis Debray en décembre 2001, à la demande de Jack Lang, ministre de l'Éducation nationale, s'intitule *L'Enseignement du fait religieux dans l'école laïque* et consiste, non pas à fabriquer une matière supplémentaire qui serait l'histoire des religions, mais à réinjecter des références et un savoir dans un certain nombre de matières, plusieurs fois nommées : philosophie, histoire, géographie, langues, matières artistiques.

10. C'est aussi une des préoccupations du rapport *L'Enseignement du fait religieux dans l'école laïque* cité précédemment, qui rappelle que le recteur Joutard avait déjà, en 1989, analysé les raisons rendant nécessaire l'enseignement du fait religieux dans l'école laïque. Le rapport énumère les raisons qui poussent à cet enseignement. D'abord, la menace de déshérence patrimoniale : un certain nombre de faits, de lieux, d'œuvres deviennent illisibles, les références religieuses échappant aux élèves. Ensuite, il y a l'angoisse que tout citoyen éprouve devant la perte de valeurs communes. Il y a donc une proposition de rechercher à travers l'universalité du sacré à refonder une communauté de citoyens.

11. Dounia Bouzar, *L'Islam des banlieues. Les prédicateurs musulmans, nouveaux travailleurs sociaux ?*, Paris, Syros-La Découverte, 2001.

12. Moussa Khedimellah, « La dignité identitaire retrouvée par le puritanisme religieux ? », *Revue socio-anthropologique*, septembre 2001.

13. Le ministère de la Guerre refuse — à cette date — de naturaliser les juifs : « Une des fautes les plus graves que le gouvernement pourrait commettre en Algérie serait d'accorder aux juifs, population avilie et méprisée, ce que nous n'accordons pas aux musulmans. Comme ces derniers, les israélites indigènes doivent, par rapport à nous, demeurer ce qu'ils sont et uniquement ce qu'ils sont, c'est-à-dire sujets français ; comme aux musulmans le

Coran, le Talmud attribue aux juifs des droits civils que nous leur avons conservés » (cité par Patrick Weil, *Qu'est-ce qu'un Français ?*, Paris, Grasset, 2002, p. 226). Ce n'est que le 24 octobre 1870 qu'un décret du gouvernement de la Défense nationale confère la nationalité française aux juifs des départements d'Algérie, appelé « décret Crémieux », du nom du ministre de la Justice.

14. Patrick Weil, *Qu'est-ce qu'un Français ?*, *op. cit.*

15. Xavier Ternisien, *La France des mosquées*, Paris, Albin Michel, 2002, p. 234-257.

16. Dounia Bouzar, *L'Islam des banlieues*, Paris, 2001.

17. Voir l'entretien de Yassine Chaïb, auteur de *L'Émigré et la Mort*, Marseille, Edisud, 2000, dans le numéro 1 de *Respect Magazine* www.respectmag.net, p. 30 : « Les parents étaient dans un projet d'émigration, les enfants sont dans celui de s'enraciner : on est né ici, on meurt ici. Le premier deuil à faire, c'est la rupture dans la filiation des ancêtres. L'intégration implique de rapprocher l'espace des morts et celui des vivants. Le lien entre les deux, c'est le respect : la possibilité de se recueillir, d'avoir en France une visibilité et un espace de paix musulman à travers ces carrés. On ne peut respecter les vivants si on ne respecte pas les morts. La revendication d'un carré musulman n'est pas simplement celle d'un regroupement de sépultures ; au-delà, c'est une question de mémoire individuelle et collective... »

II. Les Français de confession musulmane

1. Cofondateur de l'Union des jeunes musulmans.

2. Farhad Khosrokhavar, *L'Islam des jeunes*, Paris, Flammarion, 1997.

3. « À Grenoble, le port du foulard rassemble », *Libération*, 7 février 1994.

4. Éditions Tawhid. Également fondateur de l'Union des jeunes musulmans.

5. Créé en 1989, sous la forme d'une commission extramunicipale, le Conseil lyonnais pour le respect des droits a été officialisé le 15 octobre 2001, par délibération du conseil municipal. Composé d'élus et d'associations, il a pour objectif de veiller au respect de la dignité de la personne humaine dans la cité. Sa raison d'être n'est pas seulement d'analyser mais de proposer. Cette institution est le résultat d'une volonté collective de dépasser les différences d'opinion, de sensibilité et d'origine, autour des valeurs communes de la République. Elle trouve son sens dans l'inspiration à construire une cité pour tous à partir de la Maison commune (extrait de la page d'accueil du site Internet www.respect-des-droits.org).

6. Khadidja Mohsen-Finan et Catherine Wihtol de Wenden, sous la

direction de Rémy Leveau, *L'Islam en France et en Allemagne. Identités et citoyennetés*. Paris, Les Études de la Documentation française, 2001.

7. Franck Frégosi, « La gestion publique de l'islam en France : enjeux géopolitiques, héritage colonial et/ou logique républicaine ? », *Correspondance, bulletin scientifique de l'IRMC*, 2000.

8. Saïd Bouamama, « Droit de vote pour tous, les contours d'un débat », *Hommes et Migrations*, n° 1229, 2001.

9. Signalons le mouvement important Forum des citoyens de culture musulmane, émanant de l'équipe de la revue *La Médina*, qui, tout en adoptant des stratégies différentes, travaille dans le même sens.

III. Ce que dit l'islam sur les femmes

1. Voir à ce sujet Leïla Babès et Tariq Oubrou, *Allah et la loi des hommes, op. cit.*

2. Fatima Mernissi, *Le Harem politique, le Prophète et les femmes*, Paris, Éditions Complexe, Albin Michel, 1987, p. 196-197.

3. Cité par Tariq Ramadan dans Jacques Neirynck et Tariq Ramadan, *Peut-on vivre avec l'islam ? Le choc de la religion musulmane et des sociétés laïques et chrétiennes,* Lausanne, Éditions Favre, 1999, p. 113.

Conclusion

1. Martine Cohen, « L'intégration de l'islam et des musulmans en France : modèles du passé et pratiques actuelles », *La Laïcité, une valeur d'aujourd'hui ? Contestations et renégociations du modèle français*, sous la direction de Jean Baudouin et Philippe Portier, Presses universitaires de Rennes, 2001.

Bibliographie

Leïla BABÈS et Tariq OUBROU, *Allah et la loi des hommes*, Paris, Albin Michel, 2002.

Soheib BENCHEIKH, *Marianne et le Prophète*, Paris, Grasset, 1998.

Dounia BOUZAR, *L'Islam des banlieues. Les prédicateurs musulmans, nouveaux travailleurs sociaux ?* Paris, Syros-La Découverte, 2001.

Dounia BOUZAR, *À la fois française et musulmane*, Paris, La Martinière Jeunesse, 2001.

Yassine CHAÏB, *L'Émigré et la Mort*, Marseille, Édisud, 2000.

Nacira GUÉNIF SOUILAMAS, *Des « beurettes » aux descendantes d'immigrants nord-africains*, Paris, Grasset, 2002.

Monique HERVO, *Chronique du bidonville. Nanterre en guerre d'Algérie*, Paris, Le Seuil, 2001.

Farhad KHOSROKHAVAR et Françoise GASPARD, *Le Foulard et la République*, Paris, La Découverte, 1995.

Farhad KHOSROKHAVAR, *L'Islam des jeunes*, Paris, Flammarion, 1997.

Fatima MERNISSI, *Le Harem politique, le Prophète et les femmes*, Paris, Éditions Complexe, Albin Michel, 1987.

Khadidja MOHSEN-FINAN et Catherine WIHTOL DE WENDEN, sous la direction de Rémy Leveau, *L'Islam en France et en Allemagne. Identités et citoyennetés*, Paris, Les études de la Documentation française, 2001.

Tariq RAMADAN, dans Jacques NEIRYNCK et Tariq RAMADAN, *Peut-on vivre avec l'islam ? Le choc de la religion musulmane et des sociétés laïques et chrétiennes*, Lausanne, Éditions Favre, 1999.

Xavier TERNISIEN, *La France des mosquées*, Paris, Albin Michel, 2002.

Patrick WEIL, *Qu'est-ce qu'un Français ?* Paris, Grasset, 2002.

Fawzia ZOUARI, *Le Voile islamique. Histoire et actualité, du Coran à l'affaire du foulard*, Lausanne, Éditions Favre, 2002.

Revues

La Médina : Citoyenneté et participation politique (n° 4), *L'islam de la Cinquième République* (n° 12), *La France musulmane, enjeu des présidentielles* (n° 13), *89 propositions pour la France de demain* (n° 14), *Un printemps français, que faire après le 21 avril ?* (n° 15).

Saïd Bouamama, « *Droit de vote pour tous, les contours d'un débat* », *Hommes et Migrations*, n° 1229, 2001.

Martine Cohen, « L'intégration de l'islam et des musulmans en France : modèles du passé et pratiques actuelles », *La Laïcité, une valeur d'aujourd'hui ? Contestations et renégociations du modèle français*, sous la direction de Jean Baudouin et Philippe Portier, Presses universitaires de Rennes, 2001.

Régis Debray, *L'Enseignement du fait religieux dans l'école laïque* (rapport à la demande du ministre de l'Éducation nationale), 2001.

Franck Frégosi, « La gestion publique de l'islam en France : enjeux géopolitiques, héritage colonial et/ou logique républicaine ? », *Correspondance, bulletin scientifique de l'IRMC*, 2000.

Moussa Khedimellah, « La dignité identitaire retrouvée par le puritanisme religieux ? », *Revue socio-anthropologique*, septembre 2001.

Floréal Sanagustin, « Enseignement : l'essor des académies », *Les Cahiers de Science et Vie*, janvier 2003.

Remerciements

Ce livre n'est pas seulement notre livre mais le livre de tous ceux et de toutes celles que j'ai pu croiser lors de mes interventions et de mes recherches. Ils et elles ont nourri mes réflexions et ont donné un sens à l'élaboration de ce long travail. Je pense notamment aux échanges si forts avec les filles de l'association Jeunesse musulmane française de Pierre-Bénite qui m'ont aidée à jalonner cet ouvrage, à la pertinence des propos de Djaouida, à l'exemple de Nora... Leurs témoignages n'apparaissent pas en tant que tels mais ont enrichi incontestablement la matière de ce livre. Que notre participation incite toutes les femmes à prendre le relais, à se faire entendre et à prendre leur place, avec ou sans foulard, en devenant incontournables dans les débats qui les concernent, sachant que tout les concerne...

Un grand remerciement également aux personnes qui ont prêté leur compétence à un moment ou à un autre de l'élaboration de ce manuscrit : Ariane Morris, qui m'avait déjà accompagnée au cours de l'écriture de *L'Islam des banlieues*, Julidée, Pierre-Yves, Marielle et les autres...

Une pensée particulière me relie à Marc Cheb Sun, rédacteur en chef de *Respect Magazine* — ayant pour but lui aussi de créer des liens et des débats entre tous —

qui m'a à la fois intensément soutenue pour que ce projet aboutisse et constructivement critiquée pour me conduire à plus de rigueur...

Enfin, rien n'aurait pu se faire sans la patience et l'amour de ma famille, et notamment de Lylia, Laura et Dalila, les trois lumières sans lesquelles je ne saurais avancer.

Dounia Bouzar

Je tiens à remercier tous ceux et toutes celles qui ont contribué à l'élaboration de ce manuscrit, en apportant leurs regards, leurs expériences, leurs analyses, leurs témoignages, la profondeur de leurs histoires... J'ai tenté d'expliquer dans ce livre le condensé des réflexions de toutes les personnes avec lesquelles je travaille depuis des années, pour que le débat avance, dans des conditions souvent difficiles.

Je les salue pour leur endurance, leur pertinence et leur cœur. Elles savent faire de nos échanges des moments privilégiés ; le rapport qu'elles entretiennent avec les autres reflète leur engagement. Je voudrais pouvoir citer tous les noms des personnes grâce à qui mes arguments se sont construits mais la liste serait exhaustive. J'adresse à chacune ma gratitude pour avoir été là.

Enfin, rien n'aurait été possible sans l'affection et la présence bienveillante de Nourédine, qui a su mieux que personne m'accompagner et me soutenir tout au long de ce travail, et sans l'amour irremplaçable de mes enfants Chamseddine, Nadir et Imen.

Saïda Kada

Table

OUVRAGES DE DOUNIA BOUZAR

Être musulman aujourd'hui,
La Martinière Jeunesse, 2003.

A la fois française et musulmane,
La Martinière Jeunesse, 2001

L'Islam des banlieues,
Les prédicateurs musulmans, nouveaux travailleurs sociaux ?,
Syros-La Découverte, 2001

La composition de cet ouvrage
a été réalisée par Nord Compo
à Villeneuve-d'Ascq,
l'impression et le brochage ont été effectués
sur presse Cameron dans les ateliers
de Bussière Camedan Imprimeries
à Saint-Amand-Montrond (Cher),
pour le compte des Éditions Albin Michel.

Achevé d'imprimer en avril 2003.
N° d'édition : 21788. N° d'impression : 032137/4.
Dépôt légal : avril 2003.
Imprimé en France